CW00538351

www.tredition.de

ROLAND LUKAS FRANZ

***

WER SÜNDIGEN WILL, MUSS LEIDEN…

www.tredition.de

© 2021 Roland Lukas Franz

Verlag und Druck:
tredition GmbH, Halenreie 40-44, 22359 Hamburg

ISBN
Paperback: 978-3-347-24009-4
Hardcover: 978-3-347-24010-0
e-Book: 978-3-347-24011-7

Wer sündigen will, muss leiden...

Kapitel 1 – Ein Toter am Straßenrand

An diesem Morgen wurde ich von einem Anruf um kurz nach sechs geweckt. Eigentlich hätte ich bis neun oder so schlafen können, weil mir der Chef für den Vormittag frei gegeben hatte. Naja, er hatte mir nicht direkt frei gegeben, viel mehr hatte er gesagt, ich hätte den ganzen Vormittag Zeit, einen Auftrag zu erledigen, aber ich hatte die versteckte Nachricht darin verstanden.

Leider konnte ich meine freie Zeit nicht nutzen, weil eben dieser Anruf kam. Ich schreckte hoch und schnappte mir mein Handy. Es war Johnson. Flink sprang ich auf und rannte aus dem Schlafzimmer. Im Gehen zog ich mir eine Hose an und schnappte mir ein Hemd.

„Ja?"

Ein Lachen antwortete.

„Habe ich dich geweckt?", er klang nicht wirklich besorgt.

„Nein, ich bin gerade unterwegs.", log ich und streifte mir das Hemd über.

„Dann wird es dich ärgern, denn dahin, wohin du unterwegs bist, wirst du nicht fahren. Wir haben einen Fall."

Ich kritzelte eine Notiz auf einen alten Einkaufszettel, der auf der Küchenfläche lag, und schnallte den Gürtel zu.

„Wo?", fragte ich hastig und schlüpfte in meine Schuhe.

„Auf der Landstraße nach Adger's Hill. Ich schicke dir die genaue Adresse."

„Danke, ich bin schon auf dem Weg."

„Keine Ursache.", sagte er hämisch und legte auf.

Ich fluchte leise und nahm mir meinen Mantel. Ich konnte mir sein blödes Grinsen genau vorstellen. Ihm gefiel es nur zu gut, mich zu ärgern und vor dem Chef schlecht dastehen zu lassen. Es piepte und ich erblickte die Adresse auf meinem Bildschirm. Mit schlecht geschnürten Schuhen und halb offenem Hemd lief ich auf die Straße und auf mein Auto zu. Mein schlechtes Gewissen sagte mir, ich sollte hier bleiben und nicht einfach wegfahren, ohne mich zu verabschieden, aber leider überwiegte meine Angst, Johnson könnte über mich herziehen.

Ich setzte mich auf den Fahrersitz, startete den Motor und fuhr aus der Parklücke heraus. Regen prasselte wie feine Perlenschnüre auf den Boden. Der Himmel war grau und es war unangenehm kalt. Auf dem Weg aus der Stadt heraus bemerkte ich viele Passanten, die in dicke Regenjacken gekleidet und geduckt über die Straße huschten. Heute mochte man nicht lange draußen bleiben. Und genau heute hatten wir einen Fall. Mitten auf dem Land. Statt dem gemütlichen Frühstück und einem warmen Kakao erwartete mich eine Leiche und kalter, perverser Seitenwind. Tolle Aussichten.

Die Adresse, die mir Johnson geschickt hatte, war ein Parkplatz am Straßenrand. Von hier aus gingen mehrere Wanderwege durch die Wiesen und Hügel in die Ferne. Keine zweihundert Meter weiter erkannte ich das Aufblitzen des Blaulichts mehrerer Streifenwagen. Ich hielt auf dem Parkplatz und lief den Rest des Weges mit den Händen in den Taschen zu den anderen.

Natürlich waren alle anderen schon anwesend. Ich erblickte den Wagen vom Chef, Johnsons Wagen und den Wagen der Spurensicherung, sowie einen Krankenwagen. Flatterndes Absperrband zog sich quer über die Straße und verband zwei nahestehende Bäume. Ich duckte mich darunter hinweg und lief zwischen den

Constables durch zum Chef. Er stand, in der Hand einen Regenschirm, über der Leiche und unterhielt sich mit Dr. Franklin.

„Da bist du ja."

Ich drehte den Blick zur Seite. Johnson grinste mich an.

„Vielen Dank für den pünktlichen Anruf.", entgegnete ich verärgert und schob mich an der Krankenliege vorbei, „Tag, Chef."

Der Inspektor sah auf.

„Ah, Cartwright, da sind Sie ja. Ich hatte mir schon Sorgen gemacht, Johnson hätte Sie nicht erreicht."

„Nein, nein. Ich war nur gerade in die andere Richtung unterwegs.", winkte ich ab, „Was haben wir?"

„Dr. Franklin, was haben wir?", er blickte zu Franklin, die über der Leiche hockte.

„Das kann ich noch nicht sagen. Auf den ersten Blick deutet nichts auf äußere Einwirkungen hin, aber bei dem Dreck kann ich Genaueres erst im Labor herausfinden, wenn wir ihn gesäubert haben.", antwortete sie den Leichnam auf seinen Rücken drehend.

Das Gesicht war schlammverschmiert und die Augen geschlossen. Dunkle, kurze Haare klebten auf der nassen Stirn. Es war wirklich schwer zu sagen, wie der Mann lebendig ausgesehen hatte. Der ganze Drecke klebte überall.

„Wer hat ihn gefunden?", fragte ich und sah mich nach Zivilisten um.

„Eine Dame, Johnson hat sich schon um sie gekümmert. Ihr Name ist Clarissa Friars, sie kam mit dem Wagen hier vorbei und hat die Leiche entdeckt. Dann habe sie gleich den Krankenwagen gerufen.", erzählte der Inspektor.

„War er noch am Leben?", erwiderte ich überrascht.

„Nein. Sie wusste in der Aufregung nicht, was sie tun sollte."

Ich nickte.

„Wissen wir schon, wer er ist?"

„Angeblich ein Mann namens William Richardson, er soll hier in der Nähe wohnen."

„Familie?"

„Da sind wir dran."

Ich unterdrückte ein Gähnen. Normalerweise erzählten wir dem Chef, was vorgefallen war und was wir schon wussten, nicht andersherum. Dank Johnson war ich heute der, der die Fragen stellte.

„Was kann ich tun?", ich wollte mich nützlich machen.

„Rufen Sie in der Zentrale an und fragen Sie, ob wir ein Foto von Richardson bekommen könnten."

„Alles klar, Sir-"

„Schon geschehen. Hier, das ist er.", Johnson kam von hinten und hielt uns sein Handy hin. Wieder grinste er mich schadenfroh an.

„Danke, Johnson. Geben Sie mal her.", der Chef betrachtete das Foto und dann den Leichnam, „Dr., können Sie das Gesicht säubern? Ich möchte sicher gehen, dass er der Tote ist."

„Hat er keinen Ausweis dabei gehabt?", fragte ich verwundert.

„Weder Ausweis noch Portemonnaie oder Handy.", antwortete Johnson.

„So recht?", Dr. Franklin hielt den Kopf des Toten hoch.

„Ja, das ist er. Davis, machen Sie ein Foto und schicken es in die Zentrale. Außerdem möchte ich seine Adresse. Cartwright, das machen Sie. Johnson, Sie bleiben hier und suchen mit mir die Umgebung ab. Vielleicht gibt es Fußspuren oder ähnliches.", befahl der Chef.

„Wird gemacht, Sir.", ich drehte mich um und ging auf Abstand zu dem Rest der Mannschaft. Froh darüber, dass ich keinen Ärger vom Chef bekommen und jetzt endlich etwas zu tun hatte, holte ich mein Handy hervor und wählte eine Nummer. Es war nicht die Nummer der Zentrale.

„Matthew, wo bist du?"

Ich seufzte und blickte über die verregneten Wiesen.

„Tut mir leid, wir haben einen Fall. Ich musste schon los."

„Du hättest mich wenigstens wecken können. Dann hätte ich dir Frühstück gemacht oder zumindest einen Kaffee.", sie klang vorwurfsvoll, aber nicht so sehr, dass ich Angst haben musste.

„Dafür war leider keine Zeit. Ich war ohnehin schon spät dran."

„Hm…", sie stöhnte müde, „Kommst du heute noch mal vorbei?"

„Mal sehen, ich weiß nicht, wie lange ich hier gebraucht werde. Aber wenn ich Zeit finde, liebend gern.", antwortete ich und biss mir auf die Zunge. Eigentlich wollte ich heute nicht wieder zu ihr. Ich hatte schon Pläne.

„Dann ruf mich bitte vorher an. Ich möchte nicht, dass du einfach hereinplatzt, wenn ich gerade Besuch habe oder so."

„Versprochen. Ich rufe vorher an."

„Na gut…dann will ich dich nicht weiter stören. Fang mal schön die bösen Jungs."

„Aber du störst ni-"

Sie hatte aufgelegt. Ich fluchte und spuckte auf den Boden.

Dann wählte ich die Nummer der Zentrale und verdrängte sie aus meinem Kopf.

Kapitel 2 – Überbringer schlechter Nachrichten

William Richardson war 53 Jahre alt. Er war ein reicher Unternehmer gewesen, der mit seiner Frau, seinen zwei Töchtern und zwei Söhnen ein Landhaus unweit des Fundorts bewohnt hatte. Er hatte eine Instagramseite und einen Twitteraccount, wo er ab und zu von seinen Geschäftsreisen, von Treffen mit anderen Reichen und Dinners mit wichtigen Leuten berichtete. Außerdem war er Mitglied in einem teuren Golfclub und Veranstalter eines jährlichen Weihnachtsballs, zu dem angeblich ganz England gerne kam. Laut Laura aus der Zentrale war das alles schnell herauszufinden gewesen. Zu seiner Frau hingegen hatte sie nur wenig gefunden.

Sie hieß Penelope Richardson und war 52 Jahre alt. Sie schien nicht zu arbeiten und in den sozialen Medien nur eine unbedeutende Rolle zu spielen.

Auch die Adresse der Richardsons konnte Laura mir geben. Es war ein großes Grundstück wenige Kilometer vom Fundort der Leiche entfernt.

Ich berichtete dem Chef und er wies Johnson, Davis und mich an, ihn zu begleiten. Wir hatten die unangenehme Aufgabe, der Familie die Nachricht des Todes von Mr. Richardson beizubringen. Bzw. hatte der Inspektor die Aufgabe, das der Familie mitzuteilen. Wir waren nur als Verstärkung da, für das Aussehen und die Befragungen danach.

Johnson und der Chef fuhren voraus. Ich fuhr mit Davis hinterher.

Leona Davis war eine nette und gesprächige, junge Frau, die sich als sehr wertvoll bei so manchen Einsätzen erwiesen hatte.

Allerdings war sie sehr gesprächig. Zu gesprächig für meine Verhältnisse. Sie erzählte von ihrem Treffen mit einer alten Schulfreundin, wie es ihrer Mutter ging und wie gut ihre Schulfreundin eigentlich aussah.

Ich war mir nicht sicher, ob sie mich mit ihrer Freundin verkuppeln wollte oder selbst in ihr gesteigertes Interesse hatte, denn sie hörte sich an, als würde sie das Profil einer Datingapp durchgehen.

Als wir auf dem Grundstück der Familie Richardson ankamen, verstummte sie.

Eine hohe Backsteinmauer verlief dutzende, wenn nicht mehr Meter links und rechts eines breiten, eisernen Tores entlang. Der Chef stieg aus und suchte nach einer Klingel. Schließlich drückte er einfach das Tor auf und fuhr hindurch. Ich wunderte mich, dass ein so offensichtlich reicher Mann – sein Grundstück war riesig – sein Tor einfach so offen ließ, aber irgendeinen Grund wird es gehabt haben, dass er nun tot war.

Eine lange Auffahrtsstraße brachte uns auf einen runden Platz vor einem großen, prächtigen Herrenhaus. Große Fenster zierten die mächtige Fassade und eine große Eingangstür thronte in der Mitte. Neben dem Platz war ein deutlich kleineres Gebäude, dass aussah als bestünde es aus einer Garage und einem anliegenden Schuppen.

Wir parkten und stiegen aus. Der Regen prasselte noch immer ununterbrochen. Ich blickte zum Himmel. Es sah aus, als würde das auch noch länger so bleiben.

Der Inspektor klingelte. Es dauerte ein bisschen, bis man uns öffnete.

„Ja, bitte?", hinter der Tür stand eine in Dienstmädchenuniform gekleidete Frau und musterte uns misstrauisch.

„Detective Inspector John Clarke, ich möchte mit Mrs. Richardson sprechen. Ist sie da?", der Inspektor zeigte ihr seinen Ausweis.

„Was wollen Sie von Mrs. Richardson? Sie ist momentan sehr beschäftigt.", entgegnete die Frau.

„Das würden wir gerne mit Mrs. Richardson persönlich besprechen. Ist sie denn zu Hause?"

„Ja, warten Sie. Ich hole Sie.", das Dienstmädchen schloss die Tür wieder.

Clarke drehte sich zu uns um und verdrehte die Augen. Ein belustigtes Grunzen ging durch die Gruppe.

Als das Dienstmädchen wieder öffnete, stand eine Frau neben ihr. Sie hatte braunes Haar, das zu einem Dutt verknotet war, und trug einen Morgenmantel. Ihr Blick war forsch und abweisend. Mir war sie sofort unsympathisch.

„Was kann ich für Sie tun, Inspektor? Wenn mein Mann wieder irgendetwas angestellt hat, möchte ich das von ihm selbst erfahren.", sagte sie als wäre die Sache damit erledigt.

„Ich befürchte, Ma'am – es ist besser, wenn wir die Angelegenheit drinnen besprechen."

„Was wollen Sie denn? Kann das nicht warten, bis ich zumindest mein Frühstück beendet habe?"

„Ich fürchte nicht. Es geht um ihren Mann. Er ist –", der Inspektor zögerte, „Können wir nicht wirklich reinkommen? Es ist für Sie wahrscheinlich auch besser, wir reden nicht zwischen Tür und Angel."

„Wenn es so dringend ist, kommen Sie herein, aber achten Sie darauf, dass Sie keine Abdrücke auf dem Teppich hinterlassen. Der ist frisch geputzt.", sie trat beiseite, um uns Platz zu machen.

„Vielen Dank, Ma'am.", murmelte der Inspektor und wies uns an, ihm zu folgen. Ohne Protest stiefelten wir in den großen Eingangsbereich. Keiner von uns hatte Lust, länger im Regen stehen zu bleiben.

„Dann schießen Sie los, Inspector. Womit kann ich Ihnen behilflich sein?", fragte Mrs. Richardson, als ich die Tür hinter mir schloss.

„Es tut mir leid, Ihnen das mitteilen zu müssen, aber Ihr Mann wurde heute Morgen...heute Morgen tot aufgefunden."

Für einen Moment herrschte Stille in dem großen Eingangsbereich. Richardson starrte den Inspektor mit einer Mischung aus Empörung und Verwirrung an. Das Dienstmädchen hielt sich erschrocken die Hand vor den Mund und blickte von einem Polizisten zum nächsten. Ich nutzte die Zeit, um einen Blick auf die teure Einrichtung zu werfen. Sie war geschmackvoll und schien ziemlich alt zu sein. Zumindest einige Dinge. Der goldumrahmte Spiegel, die Landschaftsgemälde und die Kommode neben der Tür sahen alle aus, als wären sie schon lange im Besitz der Familie. Der Teppich, auf den wir Acht geben sollten, war neu. Der weiße, flauschige Stoff sah nicht nach etwas aus, dass ein stilvoller, reicher Herr gerne erben würde.

„Wie bitte?", fragte Mrs. Richardson endlich.

„Ihr Mann ist tot.", antwortete Clarke.

„Oh, Gott!", die Erkenntnis hatte bei ihr einen ähnlichen Effekt wie ein Stöpsel in der Badewanne. Ihr herablassender Gesichtsausdruck, ihre erhabene Haltung und ihre stolze Brust lösten sich in einem Anflug von Entsetzen und Trauer auf. Zitternd schien sie zu schrumpfen. Tränen stiegen ihr in die Augen und sie drohte umzukippen. Schnell kam das Dienstmädchen und stellte einen Stuhl für sie bereit. Schwer atmend setzte sich die Dame und fuhr sich durch die Haare.

„Was?", gab sie mit schwacher Stimme von sich. Ihr ganzer Körper schien an Halt und Kraft zu verlieren.

„Stimmt das, was Sie sagen?", fragte das Dienstmädchen ungläubig.

15

Clarke nickte ernst.

„Ja, leider."

„Oh, Gott. Oh, Gott. Oh, Gott...", gab Mrs. Richardson murmelnd von sich, „Oh, Gott, nein. Nein, nein, nein."

Einige Minuten lang saß die frische Witwe weinend, zitternd und vor sich hinmurmelnd auf dem Stuhl. Das Dienstmädchen ging, um ein Glas Wasser zu holen, und wir standen da wie Statisten in einem Film. Während der Inspektor auf die Dame einredete und das Dienstmädchen wieder davon lief, um einen Vodka zu holen, starrten Davis und ich uns an. Johnson betrachtete das Gemälde eines kleinen Bächleins.

„Meinst du, das ist – ?"

– nur Show, wollte Davis sagen, aber nicht aussprechen.

Ich zuckte kaum merklich mit den Schultern. Ich hatte schon einige Menschen in dieser Situation gesehen. Nie reagierten sie wirklich, wie man es sich gedacht hatte. Es gab starke Männer, die weinten. Frauen, denen es fast egal war. Es gab gute Schauspieler und schlechte, aber welchen man vor sich hatte, war meist erst nach den ersten Befragungen zu erkennen. Oder manchmal auch gar nicht.

Kapitel 3 – Aber ein Blinder findet auch keinen Mörder

Schließlich beruhigte sich Mrs. Richardson und konnte wieder einigermaßen selbstständig gehen. Der Chef beauftragte uns, die Befragungen der Angestellten durchzuführen, und Johnson, mit ihm die Familie zu befragen.

Davis und ich suchten uns das Kaminzimmer als Befragungsraum aus. Zum einen, weil es gegenüber der Küche lag, wo die Angestellten warten sollten, bis sie an der Reihe waren, zum anderen, weil es hier ein sehr gemütliches Sofa gab.

Als erstes bestellten wir das Kindermädchen zu uns. Dass es eines gab, hatte Mrs. Richardson erzählt.

Ihr Name war Emily Ali. Sie war 29 Jahre alt und seit ungefähr zwei Jahren bei der Familie Richardson angestellt.

„Ich wurde primär für Florence eingestellt. Sie ist ein echter Wirbelwind und macht eine Menge Arbeit, aber das ist nichts im Vergleich zu Isaac. Obwohl er deutlich älter ist und man meinen könnte weitaus reifer, macht er mir mehr Arbeit als die Kleine.", erzählte sie.

„Florence ist die jüngste?", hakte ich nach.

„Ja, sie ist jetzt zweieinhalb."

„Und Isaac ist der zweitjüngste?", fragte Davis.

„Ja, er ist dreizehn – fürchterliches Alter."

„Haben Sie mit den anderen Kindern auch zu tun?", ich sah sie freundlich an.

„Kinder kann man da kaum noch sagen. Abbigail ist eigentlich noch selbstständiger als ihre Eltern. Würde mich nicht wundern, wenn sie die Firma übernimmt. Und Harrison ist alt genug, dass er seine Probleme selbst in die Hand nehmen kann."

„Haben Sie in letzter Zeit irgendwelche Probleme in der Familie bemerkt? Irgendetwas, das anders war als sonst? Irgendwelche Streitigkeiten?"

„Streitigkeiten? Die gibt es andauernd. Zwischen Harrison und Isaac, zwischen Abbigail und ihrem Vater, zwischen Mrs. Richardson und Ella. Das ist nichts Besonderes. Jeder kommt sich hier wegen Kleinigkeiten in die Haare."

„Gab es gestern Abend auch solche Kleinigkeiten? Sind sich Abbigail und Mr. Richardson wieder in die Haar gekommen?", fragte Davis.

„Nein, nicht das ich wüsste. Gestern war alles ziemlich ruhig. Nach dem Essen sind alle getrennte Wege gegangen. Wenn es irgendetwas gegeben hat, haben sie es nicht offen ausgetragen.", Ms. Ali runzelte die Stirn, „Glauben Sie einer von uns hat…es getan?"

„Was wir glauben und was nicht, tut hier nichts zur Sache. Wir machen nur unseren Job und würden uns freuen, wenn Sie unsere Fragen erstmal nur beantworten.", entgegnete ich, „Sie sagten, alle sind gestern getrennte Wege gegangen. Wo haben sich denn die verschiedenen Familienmitglieder aufgehalten?"

„Florence habe ich gleich nach dem Essen ins Bett gebracht. Ich glaube, Abbigail ist auf ihr Zimmer gegangen und die Jungs haben noch bis spät in die Nacht Videospiele gespielt. Mr. und Mrs. Richardson waren nach dem Dinner noch hier. Ich weiß nicht, was sie gemacht haben, aber auf jeden Fall haben sie nicht viel miteinander gesprochen."

„Und Mr. und Mrs. Richardson sind die ganze Zeit zusammen gewesen?"

„Nein, er ist nach einiger Zeit auf sein Zimmer gegangen. Mrs. Richardson ist allein zu Bett gegangen."

Ich nickte und schrieb etwas ins Notizbuch.

„Gut, vielen Dank. Das war schon eine große Hilfe. Können Sie uns jetzt noch sagen, wo Sie und die anderen Angestellten nach dem Abendessen waren?", Davis rutschte auf dem Sofa nach vorne.

„Wir drei, also Maisie, Ella und ich waren noch eine Weile in der Küche. Als Maisie dann gegangen ist, sind Ella und ich nach oben in unser Zimmer gegangen. Fred war die ganze Zeit bei sich in der Hütte.", sie deutete aus dem Fenster.

Ich warf einen kurzen Schulterblick auf das Gebäude. Es war die Garage.

„Und Maisie ist die - ?", ich hob eine Augenbraue.

„Köchin, Maisie ist die Köchin."

„Und sie ist gestern Abend noch weg gegangen?"

„Ja, sie geht immer. Sie wohnt hier nicht. Morgens kommt sie und bleibt bis zum Mittag. Dann geht sie und kommt erst zum Abendessen wieder."

„Und Fred ist der Gärtner?", riet Davis.

„Ja, so was in der Art. Er ist eigentlich für alles zuständig, was so anfällt. Das Waschbecken reparieren, den Wagen vorfahren, den Rasen mähen, den Zaun instand setzen, all solche handwerklichen Dinge vor allem."

„Gut, vielen Dank. Dann können Sie erst mal gehen, aber bitte bleiben Sie in der Nähe. Am besten gehen Sie zurück in die Küche.

Da wissen wir, wo wir sie finden.", ich wies zur Tür, „Und sagen Sie bitte, Ms. Harris darf kommen."

„Okay, danke.", sie lächelte kurz und stand auf.

Während wir allein waren, fragte ich Davis nach ihrer Meinung.

„Ich finde, sie macht einen ehrlichen Eindruck. Besonders beeindruckt von dem Tod ihres Arbeitgebers scheint sie aber nicht zu sein.", sagte sie und zuckte mit den Schultern.

„Ich glaube, Sie hat bei den kleinen Streitigkeiten gelogen.", meinte ich.

„Wieso?"

„Nur ein Gefühl."

„Ich hatte auch so ein Gefühl.", Davis schmunzelte.

„Sie ist ganz hübsch.", gab ich zu.

„Ach, das meine ich nicht.", sie schüttelte den Kopf, „Ich dachte, sie würde etwas zurückhalten. Etwas über Mr. und Mrs. Richardson."

„Mag sein."

Es klopfte.

„Herein."

Ms. Ella Harris betrat den Raum. Sie war das Dienstmädchen, das uns geöffnet hatte.

„Setzen Sie sich bitte. Wir haben ein paar Fragen an Sie.", Davis zeigte auf den Sessel vor uns.

„Und schließen Sie die Tür.", fügte ich hinzu.

Ms. Harris wirkte ganz anders als Ms. Ali. Sie schien irgendwie schüchtern. Als sie uns erzählte, dass sie schon acht Jahre für die

Familie arbeitete, sah sie aus, als würde sie am liebsten gleich aufhören zu reden. Mir kam das verdächtig vor, aber ich ließ mir nichts anmerken.

Ms. Harris erzählte uns einen ähnlichen Ablauf des Abends wie Ms. Ali. Auch bei ihr gingen die Richardsons nach dem Dinner getrennte Wege. Allerdings wusste sie nichts davon, dass Mr. Richardson seine Frau im Kaminzimmer allein gelassen hatte, um in sein Zimmer zu gehen.

„Nein, ich habe davon nichts mitbekommen. Die anderen können so etwas hören, aber ich achte nicht so auf die Geräusche. Außerdem lausche ich nicht gerne. Worüber Mr. und Mrs. Richardson privat bereden, soll auch privat bleiben. Ich habe damit nichts zu tun."

„Na gut. Aber Sie sind, nachdem Mrs. Cooper gegangen ist, mit Ms. Ali auf Ihr Zimmer gegangen?", fragte ich.

„Ja, das stimmt. Wir haben uns noch eine Weile unterhalten und dann bin ich so gegen halb elf, elf ins Bett gegangen. Emily hat da noch gelesen."

„Haben Sie irgendetwas von Streits oder Uneinigkeiten mitbekommen, die in letzter Zeit stattgefunden haben? Etwas außergewöhnliches, das gestern oder diese Woche passiert ist?"

„Diese Woche nicht, nein, aber schon ein bisschen länger her...", sie überlegte, „Es ist vielleicht zwei, drei Monate her. Da ist Mr. Richardson mit einem Lehrer ziemlich aneinander geraten. Ich weiß nicht genau, worum es gegangen ist. Irgendetwas mit Harrison und einer Note. Angeblich soll der Lehrer ihn schikaniert haben – aber wie gesagt, ich weiß es nicht genau. Es stand, glaube ich, sogar etwas darüber in der Zeitung."

„Wie hieß der Lehrer?", fragte Davis.

„Das weiß ich nicht. Tut mir leid, keine Ahnung."

„Hm, okay. Danke – und können Sie noch etwas über Mr. Richardson selbst sagen? Wie war er so? Wie ist er mit Ihnen und den anderen Angestellten klargekommen? Wie mit seiner Familie?", wollte ich wissen.

„Mit uns ist er immer gut klargekommen. Es gab nie wirklich Probleme. Er hat uns und unsere Arbeit respektiert und war immer freundlich zu uns.", sie stockte und wischte sich eine Träne von der Wange, „Er war ein guter Mensch, wissen Sie. Nur war er manchmal sehr stur. Das hat andere dann gestört. Nicht zuletzt seine Tochter."

„Abbigail?"

„Ja, er und sie haben öfters ihre Meinungsverschiedenheiten gehabt. Sie wollte mehr Freiheiten von ihm und er wollte, dass sie die Schule abschließt und etwas richtiges lernt, vielleicht studiert. Ich glaube, das will sie auch, aber eben nach ihren Ansichten und auf ihre Art und Weise.", erklärte Ms. Harris.

„Gut, vielen Dank. Das soll es fürs Erste gewesen sein. Sie können gehen und bitte Mrs. Cooper Bescheid geben.", sagte Davis und nickte zur Tür.

„Warten Sie, eine Sache noch.", ich gab meiner Kollegin einen entschuldigenden Blick.

„Was denn?", Ms. Harris war schon aufgestanden.

„Wie stehen Sie zu Mrs. Richardson? Verstehen Sie sich genauso gut mit ihr wie mit ihrem Mann?"

Sie zögerte und blickte aus dem Fenster.

„Nicht wirklich…sie, sie mochte mich von Anfang an nicht richtig. Ich weiß auch immer noch nicht, warum. Ich habe ihr nie etwas getan, aber sie kritisiert jede Kleinigkeit meiner Arbeit und…", sie wandte den Blick durch den Raum, als ob sie erwartete, Mrs. Richardson stünde hinter ihr, „Sie würde mich wahrscheinlich am liebsten entlassen."

Ich nickte, schrieb es auf und entließ sie.

„Damit ist sie raus.", meinte Davis.

„Sie hat auf jeden Fall kein offensichtliches Motiv.", erwiderte ich und kratzte mich am Kinn, „Viel eher das Gegenteil. So wie es sich angehört hat, war Richardson der Grund, warum sie noch hier ist. Ohne ihn-"

„Für mich sah sie nicht so aus, als würde sie lügen."

„Nein, für mich auch nicht. Aber wie der Chef sagt: Vertrauen ist gut, aber ein Blinder findet auch keinen Mörder."

„Sagt er das? Habe ich noch nie gehört?", Davis lachte.

„Zu mir hat er das mal gesagt, seitdem muss ich bei jeder Befragung daran denken.", ich zuckte mit den Schultern.

Bevor Mrs. Cooper an der Tür zum Kaminzimmer klopfen konnte, klingelte mein Handy. Es war Laura von der Zentrale.

Kapitel 4 – Manchen Leuten genügt ein Dach über dem Kopf

Ich ging auf den Flur und bat Davis, schon mit der Befragung von Mrs. Cooper anzufangen.

„Ja, Cartwright."

„Ja, hier ist Laura aus der –"

„Ich weiß. Was gibt's denn?"

„Dr. Franklin hat angerufen. Sie hat die Todesursache herausgefunden. Mr. Richardson ist erstochen worden. Drei Stiche in die Brust. Sie geht davon aus, dass es etwas Kleineres war. Kein großes Küchenmesser zum Beispiel.", erzählte Laura, „Eher etwas Spitzes."

„Etwas Spitzes?", hakte ich nach.

„Ja, das hat sie gesagt. Die Einstiche sind rundlich und nicht schlitzartig."

„Okay, danke. Sonst noch etwas?"

„Den Todeszeitpunkt. Sie konnte ihn auf elf bis ein Uhr in der Nacht eingrenzen. Ansonsten war das alles. Wenn wir noch etwas haben, melde ich mich.", antwortete sie, „Und sag dem Chef, er soll sein Handy anstellen. Ich habe ihn drei Mal angerufen."

„Der hat sein Handy in Befragungen immer aus. Das wird er auch bei drei Anrufen nicht ändern. Dafür hat er ja uns.", meinte ich belustigt.

„Dann rufe ich das nächste Mal gleich einen von euch an."

„Mach das."

24

„Gut, bis dann."

„Bis dann.", ich legte auf und steckte das Handy ein.

Bevor ich zurück ins Kaminzimmer ging und Davis bei der Befragung Gesellschaft leistete, schlich ich mich vor die Küchentür. Ich wollte wissen, ob sich Ms. Harris und Ms. Ali unterhielten. Die Tür war nur angelehnt. Vorsichtig hielt ich den Kopf an den Schlitz. Ms. Harris saß auf einem Stuhl und hielt ihren Kopf in den Händen. Ein Schluchzen war zu vernehmen. Ms. Ali stand hinter ihr und streichelte tröstend den Rücken des Dienstmädchens. Keine der beiden sprach ein Wort.

Ich drehte mich um und kehrte zu Davis zurück.

Mrs. Cooper hatte nicht viel Neues zu erzählen. Sie war auch zum Zeitpunkt der Tat nicht mehr im Haus anwesend gewesen, wie wir jetzt wussten. Trotzdem fehlte uns immer noch eine Menge. Wir wussten nicht, wie der Leichnam vom Haus zur Straße gelangt war, auch wussten wir nicht, wer ein handfestes Motiv hatte, um Mr. Richardson etwas Spitzes in die Brust zu rammen.

Als wir mit der Befragung der drei Hausangestellten fertig waren, trafen wir uns mit dem Inspektor und Johnson in der Küche. Mrs. Cooper kochte uns einen frischen Kaffee und ich erzählte – natürlich erst, als wir allein waren – von den Neuigkeiten aus der Rechtsmedizin und unseren Befragungsergebnissen.

„Etwas Spitzes?", fragte der Inspektor stirnrunzelnd danach.

Ich nickte froh, endlich in der Lage zu sein, mir an einem Heißgetränk die Zunge zu verbrennen.

„Und zwischen elf und ein Uhr?"

Wieder nickte ich.

„Das hat sie gesagt."

„Das bedeutet, der Täter muss ihn in der Zeit aus seinem Zimmer nach draußen und mehrere Kilometer durch die Dunkelheit geschleppt haben.", murmelte Clarke.

„Oder vorher.", warf Davis ein.

„Nein. Mrs. Richardson sagte, ihr Mann ist erst kurz vor elf auf sein Zimmer gegangen.", entgegnete der Inspektor, „Ansonsten stimmen unsere Informationen überein."

Johnson schlürfte seinen Kaffee.

„Also lügt einer von ihnen."

„Vielleicht…vielleicht haben sie aber auch nur nicht gehört, wie jemand das Haus betreten oder Mr. Richardson es verlassen hat. Immerhin ist er ja irgendwie von hier auf die Straße gelangt.", meinte ich.

„Das gilt es herauszufinden. Jedenfalls haben wir bisher kein Motiv. Mrs. Richardson geht davon aus, dass es jemand von seiner Arbeit gewesen sein muss, weil er sich da immer mit jedem angelegt hat. Von den Angestellten hält sie keine für verdächtig, weil ihr Mann sowieso zu großzügig zu ihnen gewesen sei.", Clarke schüttelte den Kopf, „Wenn man mich nach meiner Meinung fragt, dann hat der arme Mr. Richardson die Sache selbst in die Hand genommen. Bei dieser Frau…"

Ein Schmunzeln ging durch die Runde.

„Aber meine Meinung zählt hier nicht, sondern einzig und allein die Fakten. Deswegen möchte ich, dass Sie, Cartwright, in der Zentrale anrufen und nach diesem Lehrer fragen, von dem Ms. Harris erzählt hat. Außerdem soll sich jemand bei Richardsons Firma umhören. Während wir hier noch dabei sind, sollen sie Klein schicken."

„Wird gemacht, Sir.", sagte ich und leerte meinen Kaffee.

„Dann kümmern Sie sich bitte noch um den Gärtner mit Davis – und Johnson, wir nehmen uns das Arbeitszimmer des Toten vor.", Clarke stellte seine Tasse ab und klatschte in die Hände, „Noch Fragen?"

Drei Köpfe wurden geschüttelt.

„Dann los, ich möchte hier so schnell weg wie möglich. Es stinkt nach verwöhnten Kindern."

Ich rief bei Laura an und marschierte zusammen mit Davis aus der Küche und über den weißen Teppich hinaus in den Regen. Er schien stärker geworden zu sein. Große Tropfen klatschten auf die Autodächer hinab.

„Er fühlt sich hier ja richtig wohl.", bemerkte Davis, als wir auf die Garage zu eilten.

„Mir gefällt es hier auch nicht."

Sie schnaufte amüsiert und klopfte an die Tür des Schuppens, der an die Garage angrenzte.

„Das Haus ist ganz nett und ein paar Angestellte wären auch nicht schlecht.", meinte sie.

„Reich müsste man sein.", sagte ich über die Schulter das große Haus betrachtend. Ich mochte solche Leute nicht. Gerade solche Leute, wie Mrs. Richardson. Da war ich mit Clarke einer Meinung. Sie hatte eigentlich alles; großes Haus, großen Garten, musste nichts selber machen – und schimpfte trotzdem über die Arbeit ihrer Angestellten. An Ms. Harris' Stelle hätte ich schon gekündigt.

„Der macht nicht auf.", Davis blickte durch das Fenster in der Tür.

„Vielleicht ist er nicht da.", ich sah mich um. Hinter der Garage fiel der grüne Boden in einem flachen Hang ab. Weiter hinten wuchsen hohe Bäume und die Mauer war zu erkennen.

„Wenn er hier irgendwo unterwegs ist, könnte es Stunden dauern, bis er wieder kommt. Vielleicht hat er nicht einmal bemerkt, dass wir gekommen sind."

„Da magst du recht haben.", ich wischte mir nasse Strähnen von der Stirn. Am liebsten wäre ich wieder ins Haus gegangen, um noch so einen Kaffee zu trinken, aber wir hatten einen Job zu erledigen. Der Chef hielt nichts von faulen Ausreden wie „Die Zielperson war nicht da.".

„Sollen wir ihn suchen?", fragte meine Kollegin.

„Ich klopf noch mal, vielleicht hat er uns nur nicht gehört."

Wieder bekamen wir keine Antwort. Jetzt blickte auch ich durch das Fenster. Im Innenraum war nicht viel Platz. Ich erkannte eine kleine Küchenzeile und einen Esstisch mit zwei Stühlen. Eine weitere Tür führte in einen kleinen Flur.

„Meinst du, wir können das Auto nehmen?", ich zeigte auf einen geschotterten Pfad neben dem Haus.

„Ist nicht besonders breit."

„Stimmt auch wieder.", ich blickte noch einmal über das weite Grundstück, „Dann lass uns einmal um das Haus gehen, vielleicht sieht man da mehr."

Davis nickte und wir liefen das Gesicht zum Boden gerichtet über den Schotterweg. Er führte einmal um das Haus herum zu einer breiten Terrasse und dann weiter in die Ferne, zwischen Bäumen und Sträuchern hindurch, irgendwo den Hügel hinunter.

„Ich sehe ihn nicht."

„Ich auch nicht.", ich schüttelte den Kopf, „Sollen wir drinnen fragen, wo er sein könnte?"

„Dann müssen wir nicht so lange suchen. Einen Versuch könnte es wert sein."

„Komm, ich frage Mrs. Ali, die scheint zu wissen, wie die Dinge hier ablaufen."

„Warum nicht Mrs. Richardson?", fragte Davis.

„Ich möchte ihr gegenüber möglichst wenig von unserer Arbeit zeigen."

„Also magst du sie nicht.", sie lachte und klopfte mir auf die Schulter, „Oder du willst Ms. Ali wiedersehen."

Ich sah sie unbeeindruckt an.

„Hätte ja sein können.", sie zuckte mit den Schultern.

„Ich habe gesagt, sie ist ganz hübsch. Nicht, dass ich mit ihr ausgehen will."

„Wenn du meinst.", schelmisch grinsend hopste Davis vor mir die Stufen zur Tür empor.

Ich schnaufte verärgert. Irgendetwas hatte sie jetzt in meine Aussage hineininterpretiert. Das gefiel mir nicht. Zumal es wahrscheinlich nicht stimmte.

Ms. Ali öffnete uns.

„Sie möchten zu Fred?"

„Genau. Wir haben bei ihm geklopft, aber er macht nicht auf."

„Er ist wahrscheinlich gerade unterwegs.", meinte Ms. Ali, „Hinten beim Bach. Gestern Mittag meinte er, er hätte Schäden am Zaun entdeckt."

„Wo finden wir den Bach?", fragte ich.

„Einfach den Weg hinterm Haus gerade durch und wenn Sie an den Pavillon kommen rechts."

„Vielen Dank."

„Keine Ursache.", sie lächelte und wartete, bis wir uns umdrehten. Dann schloss sie die Tür.

„Das scheint weiter weg zu sein. Eben habe ich keinen Pavillon gesehen.", bemerkte Davis.

„So weit kann es ja nicht sein. Dieser Fred muss ja auch irgendwie vom einen Ende zum nächsten kommen. Ohne dabei Tage zu brauchen."

„Vielleicht hat er ein Auto."

„Vielleicht. Wir gehen jedenfalls zu Fuß. Ich habe keine Lust, Ärger von Mrs. Richardson und dem Chef zu bekommen."

„Oder ein Pferd."

„Ein Pferd ohne Stall?", das hielt ich für unwahrscheinlich.

„Wer weiß – vielleicht ist hinter einem der Garagentore ein Stall oder irgendwo hinter den Bäumen da oder dahinten.", sie zeigte nach links, wo der Hügel noch etwas anstieg.

„Aber es kann sich ja nicht nur einer um den Stall kümmern. Außerdem hat Ms. Ali nicht gesagt, dass er auch ein Stallbursche ist. Bloß Handwerker, Gärtner, und so was.", entgegnete ich.

„War ja nur eine Idee. Kein Grund, böse zu werden."

Das ließ ich auf sich beruhen und sagte nichts.

Im Regen kam einem das Ausmaß des Grundstücks der Richardson wahrscheinlich größer vor als es war, weil es deutlich unangenehmer war, es zu durchlaufen, aber trotzdem war es nicht zu bestreiten, dass – Regen hin oder her – die Richardsons einen eigenen Park hatten. Wir gingen minutenlang und hatten den Pavillon noch nicht einmal erreicht. Erst, als wir an einer Reihe Bäume vorbei waren, war das weiße Holzgerüst am Wegrand zu sehen. Wir wandten uns nach rechts und stolperten auf einem schmaleren Pfad, den Hügel hinunter auf ein flaches Tal zu. Große

Bäume wuchsen über einen Graben hinweg und die Mauer entlang. Als wir unter den Bäumen standen, konnten wir ein Fahrrad sehen, das achtlos ins hohe Gras geworfen war.

„Hier müsste er sein. Da vorne sehe ich einen Zaun und ein Bach fließt hier auch lang."

„Ich sehe ihn. Da, er arbeitet am Zaun.", Davis zeigte an einem Busch vorbei.

Der Mann, der auf mich ziemlich alt wirkte, um noch für harte, körperliche Arbeit eingestellt zu sein, stand auf der anderen Seite des Bachs und hielt ein Brett in der Hand.

„Entschuldigen Sie.", rief ich und kam näher.

Erschrocken drehte er sich um. Ein Hund bellte im Gebüsch.

„Entschuldigen Sie –", wir gingen so weit an das Flussbett heran, wie wir es bei dem matschigen Boden wagten.

„Haben Sie sich verlaufen? Warten Sie, ich komme zu Ihnen rüber.", der Mann legte das Brett beiseite und sprang mit einem sportlichen Satz über den Graben hinweg.

„Nein, wir sind –", auf einmal sprang ein Hund aus einem Busch hervor und sah mich misstrauisch an.

„Keine Sorge, er tut nichts. Er hat nur ein großes Maul.", der Mann wischte sich die Hand am Pullover ab und sah uns freundlich lächelnd an, „Was kann ich für Sie tun? Sind Sie vom Pfad abgekommen?"

„Nein, ich bin Detective Sergeant Matthew Cartwright und das ist meine Kollegin Constable Davis. Wir sind hier wegen Mr. Richardson.", ich hielt ihm meinen Dienstausweis hin.

„Polizei?", er war überrascht, „Ist etwas passiert?"

„Ich fürchte ja.", ich zwang mich, ihn anzusehen, „Mr. Richardson ist tot."

„Was?!", Fred taumelte beinahe rückwärts.

„Ja. Es tut mir leid, Ihnen das mitteilen zu müssen. Er wurde heute Morgen tot aufgefunden."

Er fuhr sich entsetzt durch die schütteren Haare und sah zu Boden.

„Tot? Ist er denn... ermordet worden?", sein Blick glitt bestürzt von mir zu Davis und zurück.

„Ja, davon ist auszugehen."

„Oha."

Davis stupste mich hinter meinem Rücken an. Ich sah zu ihr und sie nickte in Richtung des Gärtners. Seine Hände zitterten leicht.

„Haben Sie's schon Mrs. Richardson erzählt?", fragte er.

„Ja, der gesamten Familie und den anderen Angestellten.", nickte ich.

„Und? Wie geht es ihr? Wie geht es den Kindern?"

Ich sah Davis an. Ich hatte keine Ahnung.

„Mrs. Richardson ist zutiefst erschüttert.", sagte meine Kollegin.

„Verständlich, verständlich.", er entließ einen langen Atemzug, „Schrecklich, ich meine-"

„Sollen wir Sie einen Moment allein lassen? Dann können Sie das verarbeiten. Wir wollen auch nur ein paar Fragen stellen. Das können wir auch später machen.", bot ich an.

„Nein, nein. Sie müssen ja Ihren Job machen. Ich muss nur einmal durchatmen. Das ist ein ziemlicher Schock.", er kraulte dem Hund hinter den Ohren, „Schießen Sie los. Ich bin froh, wenn ich weiterhelfen kann."

„Gut…Sie sind Fred Matthews, richtig?"

„Ja, das stimmt. Ich bin hier der Mann für alles. Mr. Richardson selbst hat mich so genannt."

Er rieb sich die Augen. Wahrscheinlich des Regens wegen, und nicht der Tränen. Ein Mann wie Matthews weinte nicht.

„Und wie lange arbeiten Sie schon für die Richardsons?", fragte Davis.

„Seit knapp dreißig Jahren, würde ich sagen. Damals hat mich William aufgenommen, als ich in einer ziemlich schwierigen Situation war. Hat mir sehr geholfen."

„In welcher Beziehung standen Sie zu dem Toten? War er außer Ihrem Arbeitgeber auch Ihr Freund?"

„Ich habe William immer eher wie einen Bruder betrachtet. Wir beide sind zusammen groß geworden, wissen Sie. Ich bin mit ihm zur Schule gegangen und wir haben einen Großteil unserer Kindheit zusammen verbracht."

„Und trotzdem sind Sie nun nur sein…", ich zeigte auf die Umgebung, „sein Arbeiter."

„Manchen Leuten genügt ein Dach über dem Kopf, ein warmes Bett und in der Natur zu arbeiten, wissen Sie. Nicht immer braucht man viel Geld, um ein glückliches Leben zu führen."

„Und Sie waren nicht ein bisschen neidisch, dass Ihr Freund aus Kindertagen so viel erfolgreicher war als Sie?", hakte ich nach. Neid würde ein gutes Motiv geben, auch wenn er schon dreißig Jahre damit hätte leben müssen, bevor er zur Tat geschritten war.

„Nein, überhaupt nicht. Für Sie mag das vielleicht seltsam klingen, aber ich bin glücklich mit dem, was ich habe, und schon immer gewesen. Meine Eltern waren arme Leute, ich hatte in meiner Kindheit nicht viel. Das einzige, das ich hatte, waren eine kranke Mutter, einen reisenden Vater und einen guten Freund. Wir mögen uns mit den Jahren verändert haben und andere Wege eingeschlagen haben, aber William hat mir mehr gegeben als ich je in meinem Leben hatte, wissen Sie. Hier, mit dieser Arbeit, mit diesen Kollegen und diesen Kindern bin ich froh. Da brauche ich keinen Erfolg, keinen Reichtum.", jetzt trat tatsächlich eine Träne in sein Gesicht. Ich blinzelte. Es hätte doch ein Regentropfen gewesen sein können. Sein Blick schweifte über mich hinweg in die Ferne des Grundstücks, in Richtung des Hauses.

„William war ein guter Mensch, wissen Sie. Besser als die Leute dachten und besser als er selbst dachte. Er hat die Dinge nie nur für seinen Vorteil getan. Wenn er das gewollt hätte, hätte er mich erst gar nicht eingestellt, dann hätte er Ella Harris schon längst gefeuert und ausgebildete Profis angeheuert. Das Geld dazu hatte er. Er hat sich um uns gekümmert, vielleicht nicht offen, aber er hat sich immer vergewissert, dass es uns gut ging.", Freds Hände zitterten noch mehr und er zeigte mit einem zitternden Finger auf seine Brust, „William hatte ein gutes Herz. Dass er tot ist, ist eine Schande für die Welt, eine Schande für dieses Haus und diese Familie..."

Sein Gesicht hatte eine Mischung aus Trauer und Wut angenommen, sein Blick war fest und seine dunklen Augen fixierten mich. Ich seufzte und wischte mir den Regen von der Stirn.

„Mein herzliches Beileid, Sir. Es tut mir leid für Ihren Verlust. Wenn Sie wollen, können wir später mit der Befragung fortfahren."

„Nein, nein. Tut mir leid. Ich habe wohl etwas überreagiert. Ich wollte nur nicht, dass man William wieder schlecht redet. Das hat man sein ganzes Leben lang getan. Das soll nicht auch noch danach so weitergehen.", er kratzte sich das unrasierte Kinn und wies zu dem matschigen Pfad, den wir hinuntergekommen waren, „Gehen wir ein Stück. Ich muss sowieso mal schauen, wie es den anderen geht."

Er griff sich sein Rad und schob es den Hang hinauf.

„Komm, Winston, wir gehen.", er pfiff und der Hund sprang durch das hohe Gras seinem Herrchen voraus.

„Er ist wirklich traurig, was?", murmelte ich, als wir mit Abstand folgten.

„Sieht so aus. Hast du gesehen, wie sein Gesicht sich verzogen hat? Als würde er am liebsten schreien.", meinte Davis, „Wenn er kein Schauspieler ist, war er es nicht. Kann ich mir nicht vorstellen."

„Hm. Jedenfalls sehe ich kein Motiv. Und wie ein Lügner sieht er nicht aus."

„Aber die besten Lügner sind die, die man nicht erkennt."

„Ich weiß. Wie ich vorhin gesagt habe: Vertrauen ist gut, aber ein Blinder findet auch keinen Mörder."

Kapitel 5 – *Etwas Spitzes*

Der Regen ließ ein wenig nach und es war beinahe angenehm, als wir mit Mr. Matthews zurück zum Haus der Richardsons gingen. Der Himmel war das erste Mal seit gestern nicht stur dunkelgrau. Dafür aber blassgrau.

Fred erzählte uns, dass er gestern Abend nicht viel vom Haus mitbekommen hatte. Als er den Wetterbericht im Fernsehen gesehen hatte, war er zum Zwinger hinter seiner Hütte gegangen und hatte Winston, der wie wir erfuhren ein Boykin Spaniel war, zu sich in die Küche geholt. Er war bis zum Abendessen allein gewesen. Dann hatte Mrs. Cooper ihm etwas gebracht und sie hatten sich einige Minuten flüchtig unterhalten. Nach dem Essen hatte Fred sich einem Buch gewidmet, das er bis elf Uhr gelesen hatte. Ohne etwas von den Richardsons zu sehen oder zu hören, war er ins Bett gegangen und eingeschlafen.

„Aber einmal mitten in der Nacht hat Winston geknurrt. Ich habe mir nichts dabei gedacht, weil er öfters auch mal bellt, wenn ein Fuchs oder ein Marder vor dem Zwinger vorbeikommt. Dann bin ich einmal auf Toilette und wieder ins Bett gegangen, jemanden gesehen habe ich nicht.", erklärte er.

„Wissen Sie, ob das vor oder nach dem Einsetzen des Regens war?", fragte Davis.

„Ich glaube davor, aber das konnte ich nicht beschwören. Ich bin noch im Halbschlaf gewesen."

„Und Sie sind sich sicher, dass Sie nichts oder niemanden gesehen oder anderweitig gehört haben?"

„Absolut. Wenn ich jemanden gehört hätte, hätte ich nicht lange gezögert und nachgesehen. Das Tor am Eingang hat zwar eine Videokamera, aber die Mauer ist nicht unendlich hoch. Für einen geübten Kletterer ist das kein Problem. Es gab schon ein paar Mal Jugendliche, die sich auf das Grundstück geschlichen hatten, um zu feiern oder einfach für den Kick."

„Das Tor hat eine Videokamera?", fragte ich überrascht.

„Ja, wenn Sie wollen, kann ich Ihnen das Video von gestern Abend zeigen. Die Aufzeichnungen sind in der Garage."

„Ja, gerne. Wir müssten dann auch eine Kopie der Aufnahmen mitnehmen, damit wir sie noch einmal gründlich untersuchen können."

„Kein Problem."

Wir kamen an Freds Hütte an und er stellte das Rad an der Wand ab. Mit einem klimpernden Schlüssel öffnete er die Seitentür zur Garage und deutete nach hinten in eine Ecke. Er knipste das Licht an und drei glänzende Wagen weit über meiner Gehaltsklasse sahen uns herausfordernd an. Es waren ein schnittiger Aston Martin, eine Mercedes G-Klasse und ein Audi SUV. Anerkennend betrachtete ich die frisch polierten Edelkarosserien.

„Dahinten?", Davis ging an mir vorbei und deutete auf einen unscheinbaren Schrank, auf dem das Poster eines Rennfahrers und ein Kalender mit amerikanischen Trucks hingen.

„Genau. Warten Sie, ich schließe auf.", Mr. Matthews fummelte etwas nervös an dem Schloss herum und öffnete quietschend die Schranktüren.

Ein alter Computerbildschirm, eine Tastatur und mehrere Kästen mit unleserlichen Aufschriften waren auf einem einzigen Brett aufgestellt. Der Computer surrte leise.

Während Davis und Fred sich daran machten, die Aufzeichnungen von gestern Abend und der Nacht anzusehen, blieb mein Blick unweigerlich an den Wagen hängen. Vor allem dem Aston Martin. Ich betrachtete ihn von allen Seiten und warf einen Blick auf die Unterseite. Es war als wäre der Wagen nur einmal gefahren worden. Vom Verkäufer hier her. In dieser Sache beneidete ich die Reichen. Sie konnten sich sündhaft teure Autos kaufen, nur weil sie Lust darauf hatten. Sie mussten sie nicht einmal benutzen. Die Schlitten brauchten nur in der Garage herumstehen und ab und zu bei Besuch öffnete man zufällig das Tor.

Ich stand auf und sah mir den Rest der Garage an. Eine lange Werkbank schmückte die hintere Wand, eine Reihe Werkzeuge prangte darüber und zwei leere Bierflaschen fristeten ihr Dasein unter der Bank. Ich ging die Werkzeuge durch. Hammer, Pfeilen, Zangen, Schraubenschlüssel, Schrauben- und Nägelkästen und…ich sah genauer hin. In der Reihe der Schraubendreher fehlte ein Exemplar.

„Davis…", ich drehte mich zu ihr um.

„Ja? Was denn?", sie hielt eine CD in der Hand.

„Was hat Dr. Franklin gesagt, was die Mordwaffe war?", ich wandte mich wieder den Schraubendrehern zu.

„Etwas Spitzes, weil die Einstiche rund sind. Wieso?"

„Sagen Sie, Mr. Matthews, wer hat außer Ihnen noch einen Schlüssel zur Garage?", fragte ich stirnrunzelnd.

„Nur Mr. Richardson. Er war auch der einzige außer mir, der hier reingekommen ist.", antwortete Fred, „Warum?"

„Nur weil Ihnen einer Ihrer Schraubendreher abhandengekommen sein muss.", ich nickte zur Wand, „Haben Sie zufällig so einen verliehen oder irgendwo liegen gelassen?"

Die beiden sahen mich an. Davis hob beide Augenbrauen.

„Ich-", Mr. Matthews stockte, „Nein, eigentlich nicht. Ich habe auch in letzter Zeit gar keinen Schrauberzieher benutzt. Außerdem ist das Werkzeug, das ich am meisten brauche, in meinem Werkzeugkasten."

„Dann schätze ich mal, wir haben eine mögliche Tatwaffe gefunden.", meinte ich und zog mein Handy hervor.

„Sie denken doch nicht, ich habe – ich hätte William...", er war erschrocken.

„Nicht so schnell. Die Tatwaffe zu besitzen heißt noch lange nicht, sie auch benutzt zu haben. Wir werden uns mit dem Inspektor besprechen müssen und Sie müssen erstmal mitkommen."

„Ich verstehe.", er nickte und ging voraus zur Tür.

„Ich glaube nicht-"

„Ich auch nicht, aber so sind die Regeln.", erwiderte ich, „Hast du die Aufzeichnungen?"

„Ja, alles von gestern Abend um sechs bis heute Morgen um fünf.", Davis zeigte mir die CD.

„Gut, gehe schon mal mit ihm zum Chef. Ich mache noch ein Foto für Dr. Franklin.", ich nickte zu den Schraubenziehern.

„Ist gut."

Davis verließ zusammen mit Matthews die Garage und ich konnte sehen, wie sie auf das Haupthaus zu gingen. Schnell fotografierte ich die Schraubendreher und auch die Nummer des fehlenden. Ich schickte der Zentrale die Fotos und einige Informationen dazu. Dann sah ich mich kurz in der Garage um. Ich wollte wissen, ob sich jemand vielleicht ohne Schlüssel Zugriff verschafft hatte. Das Problem war jedoch, dass das Tor sowie die beiden Fenster mit einer Alarmanlage gesichert waren. Wäre hier jemand hineingekommen, hätte Mr. Matthews etwas mitbekommen. Sabotagespuren an der Anlage konnte ich auch nicht finden, aber ich war kein Experte, also wollte ich nicht zu vorschnell urteilen.

Geduckt rannte ich durch den Regen den anderen hinterher.

Ich fand sie alle beisammen in der Küche. Davis berichtete dem Inspektor, was wir erfahren hatten, und Johnson starrte Ms. Ali auf die Rückseite. Er sah schnell woanders hin, als ich in den Raum trat. Ich nahm mir einen der Kaffeebecher auf dem Tisch und setzte mich neben meinen immergeilen Kollegen.

„Na, rumgeschnüffelt?", flüsterte er.

„Na, rumgespannert?", erwiderte ich und nahm einen Schluck Kaffee.

„Gut, dann sind wir hier so gut wie fertig. Das Zimmer von Mr. Richardson ist unter Polizeiverschluss und die Befragungen sind alle beendet. Wir werden jetzt fahren und Ihren Informationen nachgehen. Ich möchte Sie bitten, möglichst nicht das Grundstück zu verlassen und für weitere Fragen bereitzustehen."

„Aber Sie können uns hier nicht einsperren!", protestierte Mrs. Richardson, die am Herd stand.

„Das habe ich auch nicht gesagt. Ich möchte nur sicherstellen, dass der Mord an Ihrem Mann möglichst schnell aufgeklärt wird. Das ist doch in unser aller Interesse.", Clarke lächelte der Witwe zu, „Mr. Matthews, Sie kommen mit uns und dem Rest wünsche ich noch einen schönen Tag."

Er tippte seine Hutkrempe an und ging voran in den Flur.

„Warum muss Fred mitgehen?", fragte Ms. Harris entsetzt.

„Reine Routine.", erwiderte ich und erhob mich, „Auf Wiedersehen."

„Aber-"

„Auf Wiedersehen.", sagte auch Johnson und wir folgten dem Inspektor in den Flur.

„Die waren alle ziemlich überrascht.", meinte Davis.

„Wäre ich auch. Fred kommt wie ein netter Kerl rüber.", wisperte ich.

Wir teilten uns wieder auf die Wagen auf und fuhren los. Clarke wollte Matthews bei sich haben, damit er, falls er doch tatsächlich verdächtig war, keine Faxen anstellen konnte.

Der Plan für die weiteren Ermittlungen war Fred zum Revier zu bringen, weil das das Protokoll verlangte, die Überwachungsvideos vom Einfahrtstor durchzuschauen und anderweitig nach Motiven und Verdächtigen zu fahnden. Wie Clarke Davis und mir berichtet hatte, hatte es in Richardsons Büro keine Anzeichen auf einen Kampf oder jedwedes Eindringen von außen gegeben. Sie hatten Richardsons Handy nicht gefunden, aber dafür den Terminkalender und seinen Laptop konfisziert. Da sollten sich einige arme Constables mit abmühen. Währenddessen mussten wir irgendwie herausfinden, wie der Mörder unentdeckt in das Haus hatte eindringen können und Richardson von dort ebenso unentdeckt hatte wegbringen können.

Mich wunderte es, dass niemand von den Bewohnern des Hauses scheinbar etwas gehört hatte. Gerade weil Ms. Ali so gut hatte hören können, wer wann wo gewesen war. Der einzige Hinweis auf einen Fremden auf dem Grundstück war das Knurren von Winston, dem Boykin Spaniel, gewesen. Dafür hatten wir aber weder eine Zeitangabe noch wussten wir, ob es tatsächlich ein Mensch gewesen war und kein Fuchs oder Marder.

Meine Theorie, eine von mehreren, war, dass Richardson einfach einen Mitternachtsspaziergang genossen hatte, als ihn ein Landstreicher entdeckt und für das Geld und die Kreditkarte in seinem Portemonnaie abgemurkst hatte.

Davis hielt das für unwahrscheinlich.

„Wie soll er ihn getötet haben? Mit einem langen Fingernagel? Oder ist er erst in die Garage eingebrochen, wo es wie du sagst keine Einbruchsspuren gibt, hat sich einen Schraubenzieher genommen, um Richardson dann ein paar Kilometer weiter weg zu erstechen?"

„Ja, ich weiß, das klingt seltsam, aber vielleicht ist der Schraubenzieher einfach nur aus Zufall weg und der Landstreicher hatte gerade einen Stift oder so etwas bei sich.", entgegnete ich.

Davis sah mich vorwurfsvoll an.

„Das meinst du nicht ernsthaft, oder?"

Ich zuckte mit den Schultern. Manchmal waren auch die absurdesten Theorien mehr als nur Theorien.

„Jedenfalls gibt es immer noch jede Menge Lücken zu füllen.", sagte sie und rutschte auf dem Beifahrersitz hin und her, „Und ich habe Hunger."

„Du hattest immerhin ein Frühstück."

„Das aus einem Kaffee und einem Keks bestand."

„Vielleicht können wir uns gleich etwas besorgen.", meinte ich und sah auf die Uhr. Es war beinahe Mittag.

„Aber nichts aus der Kantine. Davon wird mir immer schlecht."

„Ich dachte auch eher an einen Burger oder so."

„Abgemacht, finde ich gut.", sie lächelte, „Auch wenn ich mal auf meine Figur achten wollte."

„Ach, ein Burger mehr oder weniger.", ich winkte ab.

„Und eine Portion Pommes."

Ich nickte mit knurrendem Magen.

„Und eine Portion Pommes."

Kapitel 6 – Ein delikates Thema

In der Zentrale hörten wir uns die Neuigkeiten von Klein an, der sich bei Richardsons Firma umgehört hatte. Dort waren alle sehr geschockt gewesen. Natürlich. Immerhin war er doch so ein toller Arbeitgeber und Kollege gewesen.

Klein hatte mit der Sekretärin gesprochen, mit einigen Mitarbeitern und mit Richardsons Partner. Keiner hatte ein offensichtliches Motiv gezeigt. Obwohl es scheinbar öfters Streitigkeiten zwischen Mr. Zurrick, dem Geschäftspartner, und dem Toten gegeben hatte, war dies nie Grund für außergeschäftliche Auseinandersetzungen gewesen. Die beiden hatten angeblich in einer ausgesprochen friedlichen Kooperation gearbeitet. Außerhalb der Arbeit hatten sie sich nur zum Golfen, zum Dinieren und zur Weinverkostung getroffen. Besonders eng waren sie nicht befreundet gewesen, laut Zurrick. Allerdings hatten die beiden einen gemeinsamen Feind. Jemand aus ihrer Branche (Finanzen), der sich scheinbar gerne mit Richardson angelegt hatte. Ein Mann namens Thomas Shaw.

Sie waren bei einem Kongress sogar einmal in einen ernsthaften Kampf verwickelt gewesen. Shaw hatte Richardson alle möglichen Dinge unterstellt, unter anderem Industriespionage. Daraufhin hatte Richardson sinngemäß gesagt, Shaw sei ein verlogener Feigling, ein Dilettant und Taugenichts. Shaw hat das nicht nett gefunden und hatte Richardson einen Schlag auf die Nase verpasst. Woraufhin er angezeigt und zu einer Geldstrafe verurteilt worden war. So hatte es jedenfalls Zurrick erzählt. Und wenn das stimmte, dann gab es zumindest ein Motiv.

„Johnson, Sie nehmen sich diesen Finanztypen vor und Cartwright fährt zu diesem Lehrer. Ansonsten möchte ich, dass sich noch jemand daran setzt, den Rest des Tages unseres Mr. Richardson zu rekonstruieren. Bisher sieht es nämlich ziemlich dürftig aus.", meinte Clarke bei der Besprechung.

„Ich nehme Davis mit.", meldete ich mich, „Dann können wir danach noch bei dem Golfclub vorbeischauen."

„Sehr gut... dann werde ich inzwischen... mit der Presse sprechen.", er blickte über die Schulter in sein Büro und seufzte, „Na, los! Wir wollen es dem Mörder ja nicht zu einfach machen."

Nach der Besprechung fuhren Davis und ich zum nächstgelegensten Fastfoodschuppen und bestellten zwei große Burger mit je einer großen Portion Pommes. Kauend und schmatzend gingen wir die Informationen zu dem Lehrer durch.

„Hier steht, die Eltern haben gemeinsam eine Beschwerde bei der Schulleitung eingereicht.", Davis las den Zeitungsbericht, „Wegen unfairer und nicht verhältnismäßiger Bewertung der Schüler und Demütigung vor der Klasse."

„Klingt sympathisch.", erwiderte ich.

„Die Schule hat den Lehrer entlassen. Er hat wohl alles bestritten und es gab keine eindeutigen Beweise, aber gegen eine geballte Ladung Elternbeschwerden lässt sich nichts machen."

„Steht da auch Mr. Richardson bei?", fragte ich mit vollem Mund.

„Nein, nicht explizit. Es ist die Rede von einstimmiger Kritik an einem äußerst unprofessionellen Verhalten und von einem Gefühl von Ungerechtigkeit.", sie wischte über ihr Handy, „Dem scheint es ordentlich an den Kragen gegangen zu sein. Mich wundert, dass man ihm nichts angetan hat, wenn er so ein schlechter Mensch ist."

„Nur weil die Eltern gleich auf die Barrikaden gehen, bringen sie keinen um.", entgegnete ich.

„Ich habe auch eher an Schüler gedacht. Die können manchmal ganz schön fies zu ihren Lehrern sein und, wenn dann so einer dabei ist, dann könnte es ja sein, dass einer von den Gedemütigten mal das Feuer erwidert hat."

Ich zuckte mit den Schultern. Ich war froh, endlich etwas im Magen zu haben.

„Nun ist Mr. Richardson tot und nicht dieser…wie heißt er – Baileys?"

„Bailey.", sie nickte, „Jefferson Bailey. Lehrer für Mathematik und Erdkunde."

„Mathe und Erdkunde…komische Mischung."

„Findest du?"

„Meine Mathelehrerin hat Physik als Zweitfach gemacht. Das macht mehr Sinn als Erdkunde.", fand ich.

„Mag sein, aber Bailey scheint sowieso nicht wie jeder andere Lehrer zu sein.", meinte Davis und biss von ihrem Burger ab.

„Stimmt.", ich stahl eine ihrer Pommes.

„Ey!", schmatzte sie.

„Bei mir waren nur so wenig.", verteidigte ich mich.

„Jaja.", sie tippte sich an die Stirn.

„Ich-", das Vibrieren meines Handys rettete mich. Überrascht zog ich es hervor und entsperrte es. Eine Nachricht erschien auf dem Bildschirm:

„Hi, ich bin noch eine Weile weg. Zum Abend bin ich aber wieder zu Hause. Wenn du willst, kannst du ja kommen und wir bestellen Pizza oder so :P"

Ich ignorierte die Nachricht und steckte das Handy weg.

„Wer war das?", Davis lächelte verschmitzt und hob eine Augenbraue.

„Niemand.", ich machte eine unbedeutende Geste.

„Sah mir nicht so aus.", sie musterte mich erwartungsvoll.

„War aber so.", ich stopfte mir den letzten Rest meines Burgers in den Mund, um nicht antworten zu müssen.

„Mir kannst du es ja sagen. Ich bin deine Kollegin und nicht deine Mutter."

Ich schüttelte den Kopf und kippte einen Schluck kalter Cola hinterher.

„Nicht nötig. Es ist nichts, wirklich."

„Na gut. Aber wenn du mal reden willst...", sie zeigte auf sich.

„Danke, aber im Moment gibt es einen Mord, den wir klären müssen."

Sie zuckte mit den Schultern und schob sich eine Pommes in den Mund.

Nach dem Essen, das meine Laune um einiges besserte – trotz der Nachricht – fuhren wir Richtung Adger's Hill. Für einige Minuten war Davis ruhig und hing ihren Gedanken nach. Dann fing sie wieder an, von ihrer Schulfreundin zu sprechen.

„Kennst du das, wenn du Leute, mit denen du früher richtig gut befreundet warst, einfach so aus den Augen verlierst?", fragte sie.

„Hm.", machte ich. Das kam mir bekannt vor.

„Man hat früher eigentlich jeden Tag miteinander gesprochen, sich getroffen, Schabernack getrieben und all so was und dann…dann wird man erwachsen und zieht weg. Man fängt an zu arbeiten, kommt in ein ganz neues Umfeld und es ist, als hätte man sich nie gekannt. Kein Kontakt, kein gar nichts.", sie lehnte den Kopf gegen die Lehne, „Und dann trifft man sich aus Zufall wieder und alles ist wieder da. Die Freude, der Spaß, der Schabernack."

Ich grunzte zum Zeichen, dass ich zuhörte.

„Das kennst du doch auch, oder?"

Ich nickte.

„Wie gehst du damit um? Ich meine, man sieht sich so lange nicht, und trotzdem möchte man gleich wieder loslegen und alles so wie früher haben.", sie sah mich an.

Ich zuckte mit den Schultern. Mein Thema war es nicht. Ein guter Therapeut war ich auch nicht.

„Keine Ahnung. Ich mache einfach weiter wie immer.", sagte ich.

„Hm.", sie schien nicht zufrieden, „Aber ich dachte, alles wäre okay. Die Zeit vergessen…"

Der Rest ihrer Gedanken wurde zu einem Murmeln und schließlich verstummte sie.

Bis wir bei der St. Catherine's Secondary School ankamen, redeten wir nicht mehr. Ich wusste nicht, was sie von mir hören wollte, und wirklich etwas zu sagen hatte ich auch nicht. Ich glaubte, sie müsste ihre Gedanken einfach nur einmal aussprechen.

Jemandem sagen, wie sie sich fühlte, ohne dass derjenige davon betroffen war. Jemand, der damit nichts zu tun hatte, wie ich.

Die Schule, auf die Harrison Richardson und seine ältere Schwester Abigail gingen, war keine Privatschule. Es war eine öffentliche Schule, mit ganz gewöhnlichen Schülern. Etwas wundersam, fand ich. Bei dem Geld hätten sich die Richardsons bestimmt eine Privatschule leisten können.

Ich parkte auf dem Mitarbeiterparkplatz und wir stiegen aus. Das Büro der Schulleitung lag im Herzen der Schule und wir mussten zwischen Schülern und Lehrern gehen, die uns allesamt seltsam anstarrten.

„Jetzt müssten wir noch Uniformen tragen, dann würden denen wahrscheinlich die Augen aus den Köpfen fallen.", meinte Davis belustigt. Scheinbar schien sie das Thema von vorhin verdrängt zu haben.

„Da vorne.", ich wies auf eine Tür mit der Aufschrift „Schulleiter" und klopfte.

Mr. Christopher Benson war ein großer Mann mit stoppeligen Haaren und einem Blick wie ein Bluthund. Er empfing uns mit einem kräftigen Händedruck.

„Was kann ich für Sie tun? Am Telefon hieß es, es ginge um einen meiner Lehrer.", er ließ sich schwungvoll in seinem Stuhl nieder, „Setzen Sie sich."

„Es geht um jemanden, der hier mal Lehrer war.", korrigierte ich und setzte mich auf den dünnledrigen Stuhl, „Wir möchten von Ihnen erfahren, was er jetzt tut."

„Das klingt interessant. Um wen geht es denn?", Benson legte die Fingerspitzen aneinander und sah uns gespannt an.

„Jefferson Bailey, er hat hier Mathematik und Erdkunde unterrichtet.", sagte ich und wartete seine Reaktion ab.

„Ah, ja. Jefferson.", er nickte ernst, „Was hat er diesmal angestellt?"

Er wirkte nicht sonderlich überrascht, aber trotzdem auf gewisse Weise unzufrieden. Als hätte er gehofft, es würde uns nicht um Mr. Bailey gehen. Sondern um jemand anderen.

„Das können wir Ihnen aus ermittlungstechnischen Gründen nicht sagen.", erwiderte ich.

„Verstehe. Wenn es wieder wegen irgendwelcher Kinder ist, dann steckt dieser Mr. Richardson mit drin. Er war auch beim letzten Mal darin verwickelt gewesen.", erzählte der Schulleiter.

Das ließ mich aufhorchen. In der Zeitung hatte nichts von Richardson gestanden. Es war berichtet worden, dass die Eltern gemeinsam eine Beschwerde eingereicht hatten. Außer einer Unterschrift auf dem Brief wäre von Richardson nichts zu sehen gewesen.

„Wie meinen Sie das?" fragte ich möglichst gleichgültig.

„Naja, es ist nichts, aber bevor wir Mr. Bailey entlassen haben, hatte es eine Menge böser Briefe und Nachrichten gegeben. Eine davon war von Mr. Richardson gekommen.", er winkte ab, „Aber das war nichts Besonderes. Es ging bloß um die Bewertung einiger Schüler. Meiner Meinung nach haben da alle überreagiert."

Davis gab mir einen flinken Seitenblick. Bensons Erzählung wich von der aus der Zeitung deutlich ab. Dort hatte es geheißen, Mr. Bailey war unverhältnismäßig gewesen, unprofessionell und unfair. Außerdem soll er die Schüler vor der Klasse gedemütigt haben. Für mich – und für die Eltern – war das nicht „nichts Besonderes".

„Um was hat es sich bei diesen bösen Nachrichten gehandelt? Ging es einfach nur um eine Beschwerde oder war da mehr dran?", fragte ich ebenso uninteressiert wie bei einem Gespräch über den Unterschied im Kartoffelpreis zum vorherigen Jahr.

„Nun ja – jetzt, da sie so danach fragen... es war schon mehr dran. Einige ernsthafte Drohungen waren dabei gewesen. Mr. Bailey hat mehrere E-Mails bekommen, die seine Entlassung forderten oder sogar eine polizeiliche Ermittlung.", Benson legte den Kopf schief, als wollte er abwägen, was er erzählen wollte und was lieber nicht, „Aber er schien sich nicht davon stören zu lassen. Er erzählte mir von den Briefen und Drohungen und ich bot an, für ihn die Polizei einzuschalten, aber er lehnte ab und meinte bloß, ich sollte es wissen, falls die Eltern zu mir kommen würden."

„Und Mr. Bailey hat einfach so weiter unterrichtet? Ihm war das nicht unangenehm? Er hatte keine Angst?", ich musterte den Schulleiter. Er schien eigentlich nicht darüber sprechen zu wollen, aber er schien die Aufmerksamkeit auch zu genießen.

„Ja. Er hat einfach weiter gemacht. Das hat mich und auch die Kollegen gewundert. Er war nie sehr beliebt bei den Schülern gewesen. Ich schätze, die haben mitbekommen, dass seine Frau ihn verlassen hatte, weil er angeblich etwas mit einer Schülerin gehabt hatte. Es gab jedoch keine Beweise und auch keine Schülerin, die es meldete, keine Eltern, die sich beschwerten. Er hat weiter unterrichtet und die Schüler haben die Gerüchte aufgeputscht und verbreitet. Irgendwann sind diese wahrscheinlich zu den Eltern durchgerungen."

Ich notierte mir etwas auf meinem Notizblock. Von Baileys Frau hatte nichts in der Zeitung gestanden. Auch die angebliche Beziehung zu einer Schülerin wurde nicht erwähnt.

„Wann war das? Das mit seiner Frau?", fragte ich.

„Oh, das muss so vier, fünf Jahre her sein.", antwortete Benson.

„Und damals hat sich niemand beschwert?"

„Nein. Das fing erst vor ein paar Monaten an."

„Und wann wurde es ernst?", ich klickte meinen Kugelschreiber.

„Ungefähr vor drei Monaten. Da haben wir ihn dann auch entlassen.", erzählte Benson.

„Und wissen Sie, was er jetzt tut?"

„Er arbeitet, glaube ich, in der Stadtbücherei, aber genaues kann ich Ihnen nicht sagen."

„Okay. Vielen Dank. Sie waren schon eine große Hilfe. Hier ist meine Karte. Wenn Ihnen noch etwas zu Mr. Bailey einfällt, melden Sie sich bitte.", ich reichte ihm eine kleine Visitenkarte.

„Ja, mache ich. Immer erfreut, den Ordnungshütern bei ihrer Arbeit helfen zu können.", er deutete eine knappe Verbeugung an, „Auf Wiedersehen."

„Auf Wiedersehen.", erwiderten Davis und ich im Chor und gingen.

Zurück im Auto rief ich bei Laura in der Zentrale an. Ich wollte wissen, ob Bailey tatsächlich eine Frau gehabt hatte. Im Briefing auf dem Revier hieß es nur, dass er alleine lebte.

Laura bestätigte, dass Bailey sich vor knapp fünf Jahren hat scheiden lassen. Daraufhin tippte ich die Adresse des ehemaligen Lehrers im Navi ein und fuhr vom Parkplatz von der Schule herunter.

„Dieser Bailey scheint ein richtig komischer Geselle zu sein.", bemerkte Davis nachdenklich, „Er hat angeblich eine Beziehung zu einer Schülerin, seine Frau findet es heraus und verlässt ihn. Die Schüler bekommen irgendwie Wind davon und finden ihn doof. Es passiert aber ganze fünf Jahre nichts – und urplötzlich bekommt er Beschwerden, Drohungen und wird entlassen. Und ihn scheint es nicht gestört zu haben."

„Kommt mir auch seltsam vor.", gab ich zu, „Zumal er seinen Job verloren hat. Das ist ein mächtiger Einschnitt in sein Leben. Und angeblich, also zumindest meinte das ja Benson, war an den ganzen Beschwerden nicht einmal etwas dran."

„Meinst du, Benson lügt?"

Ich zuckte mit den Schultern.

„Keine Ahnung. Es wirkte nicht so."

„Aber irgendetwas hat er verschwiegen.", sagte sie.

„Ja, das war nicht zu überhören."

„Wie gehen wir bei Bailey vor?", sie sah mich fragend an.

„Wir versuchen es ruhig, fallen nicht gleich mit der Tür ins Haus. Vielleicht erzählt er ja von sich aus, was wir hören wollen.", meinte ich.

„Versuchen kann man es ja.", sie schien nicht überzeugt.

„Es gibt auch ehrliche Leute.", erwiderte ich mit mehr Hoffnung als Gewissheit, „Es könnte ja auch mal einfach sein."

Sie lachte.

„Ha, das wäre schön."

Bailey wohnte in einer Wohnung in einem roten Betonkasten, dessen Balkone man gelb und blau angemalt hatte. Die Sicht auf den Friedhof auf der anderen Straßenseite musste besonders bei Nacht malerisch sein. Auf dem Parkplatz stand ein Umzugswagen, mehrere Kleinwagen und ein rostiger Jeep mit Anhänger. Davis klingelte neben dem Schild „Bailey, J.". Es verging eine Minute, in der nichts geschah. Ich sah auf meine Uhr. Es ging langsam auf späten Nachmittag zu. Vielleicht arbeitete er noch.

„Klingel nochmal. Ich habe keine Lust, umsonst hier hergekommen zu sein.", ich wies zur Tür.

Davis drückte den Knopf und fast sofort surrte der Türmechanismus.

Schnell, bevor es sich der kuriose Ex-Lehrer anders überlegte, traten wir ins muffige Treppenhaus und stiegen die Stufen in den dritten Stock hinauf.

Mr. Bailey wartete schon mit offener Tür auf uns.

„Was kann ich für Sie tun? Wenn Sie etwas verkaufen, können Sie gleich wieder umdrehen. Wenn Sie von den Zeugen Jehovas oder irgendeiner anderen Sekte sind, gehen Sie bitte, ich bin schon in der Gemeinde gegenüber.", er sah uns desinteressiert an.

Etwas überrascht blickte ich auf ihn hinunter. Er war klein. Nicht furchtbar klein, einfach normal klein. Er hatte blassrotes Haar, das ihm wie wild auf dem Kopf hin und her wucherte. Sein Blick war fest und zeigte keine Unsicherheit. Er war auf gewisse Weise kräftig, wie ein Athlet, der länger kein Sport getrieben hatte. Seine Brille mit den halbrunden Gläsern verlieh ihm einen misstrauischen Eindruck.

„Sie sind Mr. Bailey?", fragte ich und kramte meinen Ausweis hervor.

„Ja, der bin ich. Wer sind Sie?", es klang nicht forsch oder abweisend, wie er sprach, einfach nur misstrauisch und überrascht.

„Ich bin Detective Sergeant Matthew Cartwright und das ist meine Kollegin, Constable Davis. Wir möchten mit Ihnen gerne einige Dinge besprechen.", antwortete ich.

Er besah sich unsere Ausweise und musterte uns mit mehr Interesse als zuvor.

„Polizei? Was ist denn vorgefallen?", er klang besorgt.

„Das würden wir gerne mit Ihnen in Ruhe besprechen. Nicht auf dem Flur.", erwiderte ich.

„Also ist es etwas Ernstes, hm?", er öffnete die Tür zur Gänze und trat beiseite, „Dann kommen Sie mal herein, aber sehen Sie sich nicht allzu genau um. Das letzte Mal, das ich aufgeräumt habe, ist schon eine Weile her."

Wir traten ein und er wies uns in ein Wohnzimmer von bescheidener Größe. Die Jalousien waren zur Hälfte heruntergelassen und das graue Licht von draußen erleuchtete nur einen kleinen Teil des Raumes. Auf dem Sofa lag eine zerknüllte Decke und der Fernseher lief. Der Couchtisch war vollgestellt mit Bücherstapeln, einer Keksdose und einem lädierte Globus.

„Ich war gerade eingenickt, als Sie geklingelt haben, deswegen hat es etwas länger gedauert. Ich musste mir erst etwas vernünftiges anziehen.", er huschte zum Sofa und begann, die Decke zu falten.

„Kein Problem.", murmelte ich und sah mir die Bücher an. Das meiste war wissenschaftlich.

„Setzen Sie sich. Legen Sie einfach die Sachen auf den Boden, dann können Sie die Sessel benutzen.", er schaltete den Fernseher aus und ging zu einer Tür, „Tee oder Kaffee? Kekse stehen da. Wenn Sie wollen, können Sie sich bedienen."

Ich sah Davis an. Sie nickte kaum merklich.

„Tee, bitte.", erwiderte ich.

„Für mich auch.", sie lächelte freundlich.

Bailey nickte und verschwand hinter der Tür. Ich vermutete, dort lag die Küche.

„Womit kann ich Ihnen denn dienen? Es muss ja wirklich ernst sein, wenn Sie mich aufsuchen. Normalerweise bekomme ich nicht so oft Besuch.", rief er gedämpft.

„Ähm...", ich räusperte mich, „Es geht um Mr. Richardson."

Für einen Augenblick war nichts zu hören als das Klappern von Geschirr.

„Richardson?", er kam mit zwei Tassen wieder und stellte sie auf einem der Bücherstapel ab.

„Ja, der Name sagt Ihnen etwas?", ich griff nach einem Keks.

„Ja, ja. Sein Sohn war einer meiner Schüler und er selbst hat mir einige unschöne Nachrichten geschrieben.", Bailey nickte, „Was ist mit ihm?"

„Er ist tot.", sagte ich ausdruckslos.

Er fiel beinahe hinten über. Um das zu maskieren, setzte er sich schnell.

„Tot, sagen Sie?", er war bleich geworden.

„Ja. In der letzten Nacht."

„Oha."

Er blickte hilfesuchend durch den düsteren Raum und hielt einen Keks fest umgriffen.

„Und Sie sind zu mir gekommen, weil ich mit ihm eine gewisse Auseinandersetzung gehabt hatte."

Es war keine Frage.

„Korrekt.", ich biss von meinem Keks ab. Er schmeckte fade und muffig. Scheinbar war die Packung schon etwas länger offen gewesen.

„Dann wissen Sie auch, dass es für seine Anschuldigungen nie irgendeinen Beweis gab?", eine Frage.

„Das wissen wir. Wir wissen aber auch, welche Gerüchte man sich erzählt hat.", entgegnete ich.

„Ja, die Gerüchte.", er seufzte, „Ich kann Ihnen sagen, dass die meisten davon nicht stimmen. Ich weiß, dass Sie das nicht so einfach glauben werden, aber ich wollte es nur einmal gesagt haben. Auch Richardsons Anschuldigungen haben nicht gestimmt."

„Sie sagen, dass die meisten Gerüchte nicht stimmen. Welche sind dann wahr?"

„Also ich weiß ja nicht, welche von den unzähligen Gerüchten über mich und meine Arbeit Sie gehört haben, aber ich kann Ihnen sagen, dass ich nie einen Schüler ungerecht behandelt habe oder in irgendeiner Form gedemütigt habe. Demütigend war nur, wie die Schüler mit mir und ihren Leistungen umgegangen sind.", erzählte er, „Außerdem waren meine Bewertungen immer verhältnismäßig und meistens sogar großzügiger als bei manch anderem Lehrer."

„Weshalb hat man Sie dann entlassen, wenn doch an den Anschuldigungen nichts dran war?", fragte Davis.

Aus der Küche drang ein Pfeifen.

„Warten Sie.", er stand auf und ging ohne jedes Zeichen von Eile in die Küche.

Davis zuckte, aber ich winkte ab. Wenn er fliehen wollte, konnte er das nicht, ohne an uns vorbei zu müssen. Der Balkon war auf der anderen Seite des Wohnzimmers und die Wohnungstür hinter uns. Außerdem waren wir im dritten Stock.

Bailey kam vorsichtig einen dampfenden Kessel tragend zurück und goss uns die Tassen voll.

„Also –", er setzte sich, „Ich wurde entlassen. Das stimmt. Allerdings nicht, weil die Schulleitung glaubte, es sei etwas an den

Anschuldigungen dran, sondern zu meinem eigenen Schutz und wegen des Prestiges der Schule. Wenn Richardson sich an die Medien gewandt hätte, dann wäre der Ruf der Schule am Ende gewesen. Und Mr. Benson, der Schulleiter, sorgte sich um meine Gesundheit. Wenn die Eltern schon so weit gingen und Droh-Mails schrieben, dann fehlte vielleicht nicht mehr viel zu echter Gewalt. Deshalb wurde ich entlassen. Und ich war auch glücklich darüber. Bei solch undankbaren Kindern wären Sie das auch gewesen."

Auf eine seltsame Art und Weise bewunderte ich ihn. Er erzählte alles ganz ruhig. Es war zu spüren, dass es ihn ärgerte und dass es ihm nicht leicht gefallen war, seine Arbeit hinter sich zu lassen, aber er wurde nicht zornig oder laut.

„Ich verstehe.", meinte ich und sah mich, um Zeit zum Nachdenken zu gewinnen, in der Wohnung um, „Wie ist das mit Ihrer Frau? Stimmen die Gerüchte da auch nicht? Oder hat Sie sie wirklich verlassen?"

Ich wollte noch die Sache mit der Schülerin hinzufügen, aber aus einem Bauchgefühl heraus überließ ich ihm dieses Extra.

Sein Blick wurde etwas unruhiger. Nicht hektisch oder verdächtig, einfach wie der Blick eines Menschen, der an ein unschönes Ereignis vor einer Gruppe fremder Leute erinnert wurde.

„Meine Frau und ich haben uns in gegenseitigem Einverständnis getrennt. Wir haben uns einfach nicht mehr richtig verstanden. Unser Verständnis von Ehe hat sich verändert und wir haben nicht mehr zusammengepasst.", er nahm einen weiteren Keks.

Eine Stille entstand, in der er darauf wartete, dass ich ihn nach der Schülerin fragte. Ich fragte aber nicht. Ich blickte ihn bloß mit einer Mischung aus neugieriger Unwissenheit und erwartungsvollem Interesse an.

Er schluckte den Keks und wischte sich den Mund ab.

„Ich weiß, worauf Sie hinaus wollen. Sie denken an die Geschichte mit einer meiner Schülerinnen."

Ich lächelte.

„Korrekt."

„Nun gut. Ich werde Ihnen die Wahrheit erzählen, aber ich möchte Sie bitten, das für sich zu behalten. Nutzen Sie es für Ihre Ermittlungen, wie es Ihnen beliebt. Ich möchte aber nicht, dass es sich außerhalb der Polizei herumspricht. Wenn die Presse davon erfährt, habe ich keine ruhige Minute mehr. Auch wenn Richardson tot ist, gibt es trotzdem noch Eltern da draußen, die genauso wütend auf mich waren und sind. Er war auch auf keinen Fall der einzige, dessen Unterschrift unter den Beschwerden und Drohungen war."

„Ich kann Ihnen nicht versprechen, dass wir die Informationen für uns behalten, aber wir werden uns bemühen, nichts von Ihrer Geschichte unnötig an Dritte weiterzugeben.", erwiderte ich.

Er runzelte die Stirn und kratzte sich am Knie. Ein nicht zu deutender Blick ging durch den Raum.

„Okay.", er räusperte sich, „Ja, ich hatte et- ...ein – etwas mit einer Schülerin."

Ich blieb ausdruckslos. Auch Davis rührte sich nicht.

„Aber – und das möchte ich eindeutig betonen – sie war volljährig und hat alles von sich aus und aus freien Stücken getan. Ich habe nie etwas von ihr...", er schien nach einem Wort zu suchen, „verlangt, dass sie nicht gewollt hat."

Ich war beeindruckt. Es musste eine Menge Überwindung gekostet haben, so etwas zwei Polizisten zu beichten.

„Darf ich fragen –", auch ich suchte nach dem richtigen Wort, „was Sie von Ihrer Schülerin verlangt haben?"

Bailey holte tief Luft und atmete seufzend aus.

„Es ist zu sexuellem Kontakt gekommen, wenn Sie das meinen. Aber wie gesagt nur, wenn sie es wollte. Und ich habe auch nicht danach gefragt. Immer war sie es, die gefragt hat.", antwortete er, „Allerdings muss ich hinzufügen, dass…,dass sie nicht die einzige war…"

Ich hob überrascht eine Augenbraue.

„Ja, aber warten Sie, bevor Sie urteilen. Er war ihr Schulkamerad und nicht in meiner Klasse. Ich weiß, das klingt jetzt vielleicht…", er brach ab und vergrub das Gesicht in den Händen, „Es war ein Fehler. Das wusste ich von Anfang an und trotzdem habe ich mich darauf eingelassen. Hätte ich von Anfang an abgelehnt, dann hätte ich vielleicht noch meine Frau. Dann würde ich noch unterrichten…ach, ich – "

Er ließ ein Schluchzen vernehmen. Davis und ich sahen uns an.

„Die beiden waren echt nette Schüler und gut waren sie. Sie war eine wissbegierige, junge Frau und er ein kluger, junger Mann. Ich dachte, ich könnte ihnen einen Gefallen tun, wenn ich sie ein wenig bei der Schularbeit und im Leben unterstütze. Und dann hat das eine zum anderen geführt und ich habe nicht nachgedacht, nicht aufgepasst.", er sah von mir zu Davis, „Ich wusste, dieser Tag würde kommen, aber ich habe es trotzdem getan."

„Hören Sie. Es ist geschehen und jetzt können Sie es nicht mehr ändern.", meinte ich.

„Ja, ich weiß.", er verzog das Gesicht, „Trotzdem mildert das nicht meine Schuld."

„Ich, ähm, wie wäre es, wenn Sie uns die Geschichte von vorn, in allen Einzelheiten erzählen? Vielleicht hilft es Ihnen, darüber zu sprechen.", fragte Davis.

Bailey rutschte auf dem Sofa hin und her und wischte sich über das Gesicht.

„Na gut. Immerhin geht es um einen Toten.", er schluckte und schüttelte den Kopf wie ein nasser Hund, „Ich versuch's. Entschuldigen Sie das. Es lässt mich einfach nicht los. Ich fühle mich schuldig."

Wir sagten nichts. Es war nicht unsere Aufgabe, Seelenklemptner zu spielen. Er hatte ein schlechtes Gewissen, das hatte jeder ab und zu.

„Es fing damit an, dass Maria – so hieß die Schülerin – nach dem Unterricht im Klassenraum blieb und mit mir über die Wetterphänomene sprach, die durch den Klimawandel immer häufiger auftreten würden. Sie war sehr interessiert und deutete an, außerschulisch daran weiterarbeiten zu wollen. Ich schlug vor, ich könnte ihr Recherchehilfe leisten. Immerhin hatte ich das ja studiert. Also trafen wir uns an einem Nachmittag in der Bibliothek. Sie hatte einen Freund von ihr mitgebracht. Mike hieß er. Ich zeigte ihnen, wie sie die richtigen Bücher finden konnten, und wir kamen ins Gespräch. Es ging um Wetter, Wetterveränderungen, die Zusammenhänge zwischen Klima und atmosphärischen Gasen. Irgendwann trafen wir uns öfter und wir begannen, an einem Projekt zu arbeiten. Wir wollten Umfragen und Experimente zum Thema Klima und Klimawandel machen. Furchtbar interessantes Thema und beide waren mit Herz dabei. Ab und zu brachten sie Freunde mit, die uns bei den Planungen oder der Recherche halfen. Dann trafen wir uns bei Maria, die allein zu Hause war. Wir sahen uns einen Film an – ich glaube, es war der von Al Gore, dem US-Politiker. Danach sprachen wir noch eine Menge und schließlich drifteten wir vom Thema ab."

Und so hatte das eine zum anderen geführt und ehe sie sich versahen, hatten sie im Bett gelegen. Ich schätzte, das war die Kurzversion. Jedem wäre es wahrscheinlich peinlich gewesen, eine solche Situation detailliert zu schildern. Nach einer Weile hatten sie sich zwei Mal die Woche getroffen. Zum Arbeiten und... für den Spaß. Ich war froh, dass Bailey betont hatte, die beiden wären volljährig gewesen. Etwas anderes hätte ich ziemlich wahrscheinlich nicht ausgehalten.

Bailey erzählte, wie es geendet hatte – und zwar mit dem Schulabschluss von Maria und Mike – und dass er danach nie wieder einen Schüler oder eine Schülerin angefasst hatte und er mit den beiden noch immer in sporadischem Kontakt stand. Das Problem war jedoch, dass nicht nur Baileys Frau von den netten Treffen Wind bekommen hatte, sondern auch einige Schüler. Obwohl niemand daran geglaubt hatte, verbreiteten sich die Gerüchte und überlebten bis heute. Als Bailey eine Arbeitsgemeinschaft anbot und er eine kleine Gruppe Schüler einlud, einen Film zu drehen. Zum Thema Klimawandel. Jedoch wollten viele andere Schüler das nicht glauben und sie kramten die alten Gerüchte hervor. So bekam auch Mr. Richardson von der alten Geschichte mit.

„Ich vermute, er dachte, sein Sohn wäre darin verwickelt gewesen. War er aber nicht. Harrison, oder? Harrison, glaube ich. Er war ein schlechter Schüler. Konnte sich nicht richtig benehmen und protestierte sofort, wenn er mehr tun musste als einen Finger zu heben.", Bailey schüttelte den Kopf, „Faul und verwöhnt, entschuldigen Sie, aber es stimmt. Der Junge hat eine faire Bewertung von mir erfahren und für sein Verhalten eine mehr als gute Note bekommen."

„Nun ja. Das scheint alles eine sehr unglückliche Situation zu sein.", meinte ich nicht sicher, ob ich mir merken wollte, was ich gehört hatte, „Trotzdem müssen wir Sie fragen, wo Sie gestern Abend zwischen elf und ein Uhr gewesen sind."

Er sah mich erst verwirrt an, aber dann schien er sich zu erinnern.

„Richardson, richtig.", er nickte, „Elf und eins? Da war ich hier in meinem Bett. Ich habe geschlafen."

„Kann das jemand bezeugen?", fragte ich.

„Nein, ich lebe allein. Das einzige, was Ihnen da vielleicht helfen könnte, wäre die Kamera am Eingang.", antwortete er, „Die hat der Vermieter angebracht. Bei Mrs. Ildinger wurde im Frühjahr eingebrochen und sie hat darauf bestanden, dass wir eine Kamera am Eingang bekommen."

„Wissen Sie, wie wir an die Aufzeichnungen kommen können?"

„Über den Vermieter. Warten Sie, ich kann Ihnen die Nummer geben. Ich habe Sie hier...", er stand auf und ging zu einem Schränkchen hinüber. Er kramte in einem Stapel Zeitungen und zog darunter ein Dokument hervor.

„Hier, das ist die Einverständniserklärung, die wir unterzeichnen mussten. Da steht auch die Adresse und die Telefonnummer.", meinte er und reichte mir das Papier, „Kann ich sonst noch etwas für Sie tun?"

Ich fotografierte die Anschrift des Vermieters ab und blickte zu Davis. Sie wirkte, als wäre sie gerade von einem Nickerchen aufgewacht.

„Nein. Das wäre es erstmal. Wenn wir noch etwas von Ihnen brauchen, melden wir uns. Vielen Dank für Ihre Kooperation und Ihre Ehrlichkeit.", sagte ich und hielt ihm meine Hand hin.

„Kein Problem. Ich helfe, wo ich kann. Vielleicht kann ich jetzt auch besser schlafen.", er schüttele meine Hand und lächelte halb erschöpft, halb erfreut.

„Auf Wiedersehen, Mr. Bailey.", verabschiedete ich mich und ging zur Tür.

„Auf Wiedersehen.", er hob die Hand und wir traten in den Flur.

Schweigend gingen wir die Treppe hinunter, sahen uns kurz die Kamera an und eilten hinaus in den Regen.

Mittlerweile war es dämmrig geworden. Der Regen hatte wieder an Stärke gewonnen und ein kalter Wind hatte eingesetzt. Im Auto rief ich beim Vermieter an und vereinbarte, die Aufzeichnungen gleich abzuholen.

Als ich losfuhr, sah mich Davis schief von der Seite an.

„Was gibt's?"

„Ich denke nach.", murmelte sie, „Über den Fall und Bailey."

„Ungewöhnlich.", bemerkte ich, „So was hat man nicht jeden Tag."

„Das stimmt. Ein Mann, der auf mysteriöse Weise mitten in der Nacht aus seinem eigenen Zimmer verschwindet. Ein ganzes Haus voller Zeugen, die alle die Möglichkeit dazu gehabt hatten, ihn zu töten, aber kein Motiv. Dann einen Lehrer, der mit seinen Schülern schläft, ein Motiv gehabt hätte, aber ein Alibi hat."

Ich hob einen Finger und öffnete den Mund.

„Bisher nicht bestätigt, aber ich glaube kaum, dass er uns all das erzählt, um uns dann mit einer so billigen Lüge abspeisen zu wollen.", sagte sie, bevor ich etwas erwidern konnte.

„Da magst du recht haben.", gab ich zu.

„Aber alles komisch.", murmelte sie.

Wir fuhren zum Vermieter, erklärten kurz, dass wir tatsächlich die Leute waren, die vorhin angerufen hatten, zeigten unsere Dienstausweise vor und fuhren mit den Aufzeichnungen zurück zum Revier.

Wer sündigen will, muss leiden...

Kapitel 7 – Die beste Sünde

Auf dem Revier wurden die Ergebnisse des Tages besprochen. Clarke fasste alles knapp zusammen und wünschte uns eine gute Nacht. Den Rest wollten wir morgen machen. Nach einem ganzen Tag voller Befragungen hatte sich die Mannschaft ein bisschen Ruhe verdient, meinte er. Aber er ermahnte mich, den Golfclub morgen nicht wieder zu vergessen. Eigentlich wollte ich protestieren, weil es ganz einfach die fortgeschrittene Zeit gewesen war, die mich davon abgehalten hatte, zum Golfclub zu fahren, aber ich ließ es bleiben. Mit dem Chef konnte man nicht diskutieren. Er war eben der Chef. Außerdem hatte ich den Club tatsächlich auch vergessen. Er war mir erst eingefallen, als Davis und ich schon auf dem Rückweg zur Zentrale waren.

Ich verabschiedete mich vom Rest der Truppe und setzte mich in mein Auto. Ich hatte jetzt zwei Möglichkeiten. Entweder fuhr ich nach Hause, öffnete eine Tüte Chips und sah mir irgendeinen Film im Fernsehen an – oder ich fuhr zu ihr, die mir seit dem Mittag schon zwei weitere Nachrichten geschickt hatte („Hey, wie ist dein Tag so? Ich freue mich schon auf nachher. Du kommst doch, oder?" und „Ich bin jetzt zu Hause. Wenn du willst, kann ich ein bisschen was vorbereiten. Du bist bestimmt erschöpft von der Arbeit :P").

Eigentlich wollte ich liebend gern zu ihr. Ich wollte aber auch nicht noch großartig etwas machen. Viel lieber würde ich einfach noch eine Weile fernsehen und danach gleich ins Bett gehen. Morgen musste ich wieder früh raus.

Ich rieb mir die Augen und stöhnte müde. Ein bisschen Gesellschaft war vielleicht nicht schlecht. Andererseits wäre ein gemütlicher Abend in Jogginghose und mit einer warmen Decke auf dem Sofa auch nicht schlecht.

Hin und hergerissen rief ich bei ihr an. Fröhlich antwortete sie.

„Hey! Du hast es ja doch noch geschafft, dich zu melden. Ich dachte schon, du hast kalte Füße bekommen.", sie lachte.

Ich seufzte.

„Ja, es war viel los."

„Ja, ja. Was ist nun? Willst du noch vorbeikommen? Ich könnte schon mal etwas bestellen, dann ist das da, wenn du kommst.", schlug sie vor.

„Von mir aus. Ich nehme eine Salami-Pizza.", sagte ich gähnend, „Dann fahr ich jetzt los, ja?"

Irgendwie hoffte ich, dass sie nein sagte. Vielleicht war es mein schlechtes Gewissen. Vielleicht auch die Müdigkeit. Jedenfalls sagte sie nicht nein.

„Ja, klar. Ich bestell schon mal und decke den Tisch – oder wollen wir vor dem Fernseher essen oder im Bett?", sie wirkte freudig aufgeregt.

„Ich lass mich überraschen.", erwiderte ich und ein Grinsen kitzelte meine Gesichtsmuskeln.

„Na dann, bis gleich.", sie ahmte einen Kuss nach.

„Bis gleich.", ich tat es ihr gleich und legte auf.

In mir pulsierte etwas. Es war die andere Seite, die Seite, die nicht auf mein schlechtes Gewissen hören wollte, die nicht einfach so ins Bett gehen und den Tag unspektakulär vergeuden wollte. Mit einem vorfreudigen Grinsen fuhr ich los und verdrängte meine Bedenken. Sie wartete auf mich. Ich konnte sie nicht enttäuschen.

Als ich vor ihrem Haus hielt, atmete ich noch einmal tief durch und schüttelte die letzten Zweifel ab. Schnell rannte ich durch den Regen zur Haustür und klingelte wie wild.

Sie öffnete ein paar Sekunden später und hob ihre Augenbrauen verführerisch.

„Du bist ja tatsächlich gekommen. Fast hätte ich gedacht, du würdest mich sitzen lassen.", ihre funkelnden, grünen Augen musterten mich vorwurfsvoll.

„Niemals. Wenn ich dich sitzen lassen würde, könnte ich mich gleich erschießen.", meinte ich und grinste breit.

„Dann komm rein. Es ist ja eiskalt.", sie blickte die Straße hinunter und trat zur Seite.

Ich ging froh, endlich Feierabend zu haben, in die warme Küche und legte meinen Mantel ab. Es duftete nach parfümierten Kerzen.

„Das Essen müsste gleich da sein. Möchtest du vorher noch duschen oder so?", fragte sie und hängte meinen Mantel auf.

Ich zuckte mit den Schultern.

„Eigentlich nicht. Darauf habe ich jetzt keine Lust mehr."

„Dann zieh dich aus und setz dich zu mir. Ich möchte von deinem Tag hören.", sie deutete zum Sofa, das von der offenen Küche aus gut zu sehen war. Eine warme Decke lag bereit, eine Schüssel mit einer Tüte Chips und eine Flasche Rotwein standen auf dem Tisch. Es war, als hätte sie meine Gedanken gelesen.

„Oh, du bist wunderbar. Darauf warte ich den ganzen Tag schon.", sagte ich glücklich und verschwand im Bad, „Nur eine Minute."

„Ja, ja kein Ding. Ich mach schon mal den Fernseher an. Hast du irgendetwas im Kopf? Irgendeinen guten Horrorstreifen oder so?"

„Nö, entscheide du."

Ich grinste und zog den Reißverschluss meiner Hose wieder zu. Sie war die beste Sünde, die je begangen wurde. Und ich war der Sünder. Ihre rotbraunen Haare waren wie die Mähne einer bezaubernden Waldelfe, ihr Gesicht war wie mit Präzisionsmeißel geformt und ihre zarte Haut glänzte wie frisch gefallener Schnee. Ich liebte sie. Zumindest begehrte ich sie. Sie war einfach nur unglaublich und sie und ich gehörten zusammen.

„Hast du dich entschieden?", fragte ich, als ich vom Bad wiederkam.

Sie saß auf dem Sofa, eine kurze Schlafhose, einen weiten Pullover, angestrengt auf den Bildschirm starrend und dieses unbeschreibliche, gedankenverlorene Lächeln. Auf dem Bildschirm ratterten die Titel verschiedener Filme hinunter.

„Nee, noch nicht.", sie sah auf, „Zieh dich doch um. In der Jeans ist es doch voll unbequem."

„Aber ich habe nur eine mit.", entgegnete ich.

„Im Schlafzimmer ist noch eine Jogginghose. Hast du mal hier gelassen."

„Du hast sie geklaut.", meinte ich misstrauisch.

„Nein, ich habe sie als Absicherung versteckt, damit du einen Grund hättest, wiederzukommen.", sie zeigte entschlossen mit dem Finger auf mich.

„Hast du so wenig Vertrauen in mich?", ich war enttäuscht.

„Bei all den Bedenken, die du hattest, ist das nur gerechtfertigt.", sagte sie und fixierte mich mit ihrem stechenden Blick.

Ich machte eine abtuende Geste und holte die Hose.

Mit ihr auf dem Sofa war es so viel gemütlicher und besser als zu Hause allein. Ich wusste gar nicht, wie ich je anderes hatte denken können. Da musste ich verwirrt gewesen sein.

Bald kam der Pizzabote und wir schlemmten, als gäbe es etwas zu feiern. Den Rotwein tranken wir aus der Flasche und die Chips wurden praktisch vernichtet. Kuschelnd und schmusend unter der dicken Decke schauten wir uns zwei Filme an, wovon einer kitschiger als der andere war. Aber wir waren davon überzeugt, noch kitschiger sein zu können als jeder Film, und küssten und knutschten, bis uns die Lippen fast abfielen. Danach taumelten wir betrunken ins Bett und schliefen warm und eng aneinander ein.

Am nächsten Morgen wurde ich nicht von einem klingelnden Handy geweckt. Stattdessen wurde ich wachgeküsst.

„Alice.", murmelte ich müde.

„Du musst los. Sonst kommst du wieder zu spät."

Ich öffnete die Augen. Ich fühlte mich großartig. Obwohl ich nicht lange geschlafen hatte, war ich ausgeruht und friedlich. Keine Zweifel und Vorwürfe geisterten in mir herum. Ich küsste das hübsche Gesicht vor mir und rollte über sie und umschlang sie.

„Ich meine es ernst. Wenn du noch frühstücken willst, musst du jetzt aufstehen.", sie strich eine Strähne aus meinem Gesicht.

„Na gut. Du willst nur das Bett noch für dich haben.", entgegnete ich und ließ sie los.

„Nein, ich will nur nicht –"

„Na, ich will's nicht hören. Ich kenne die Wahrheit. Ich bin Polizist, ich erkenne Lügner, wenn sie vor mir stehen. Oder in diesem Fall liegen."

„Ach, komm schon. Ich will nur nicht, dass du Ärger bekommst.", sie sah mich verschlafen an.

„Wie du meinst.", ich zuckte mit den Schultern und zog mich an.

In der Küche machte ich mir eine heiße Schokolade und einen Tee für später. Ich aß ein Toast mit etwas Marmelade und checkte mein Handy.

Es gab keine neuen Nachrichten, was ich als Segen empfand. Wenn der Chef nicht meckerte, dann hatte ich noch Zeit, mich um den Golfclub zu kümmern.

„Heute Mittag kann ich wahrscheinlich nicht. Cathy kommt vielleicht vorbei und wir wollen etwas besprechen, wegen der Arbeit.", hörte ich Alice aus dem Schlafzimmer sagen.

„Ist gut. Ich werde euch nicht stören.", antwortete ich mit vollem Mund.

„Was musst du denn heute machen?", fragte sie.

„Ich muss einen Mord aufklären."

„Ich meine; wo musst du hin?"

„Zuerst zu einem Golfclub bei Adger's Hill, da hat der Tote öfters gespielt.", erzählte ich und gähnte, „Dann muss ich mich mit dem Chef besprechen."

Einige Augenblicke war nichts zu hören. Dann näherten sich schlurfende Schritte.

„Kannst du mich mitnehmen? Ich habe keine Lust selbst zu fahren.", sie trat in die Küche und rieb sich die Augen.

Mir fiel beinahe das Toast aus der Hand. Sie trug nichts als eine Unterhose.

„Hast du so geschlafen?", fragte ich überrascht.

„Was dagegen? Mir ist warm geworden.", sie lächelte und stellte sich demonstrativ vor mich.

„Nö, war nur…", ich zuckte mit den Schultern.

„Dann ist ja gut. Und, was ist? Nimmst du mich mit?", sie hob erwartungsvoll die Augenbrauen.

„Wo musst du denn hin?", ich steckte das Handy ein.

„Nach Caythorne Heath, das liegt doch auf dem Weg."

Ich runzelte die Stirn.

„Nicht wirklich."

„Aber fast. Der kleine Umweg ist doch nicht der Rede wert.", sie machte einen perfekten Hundeblick.

Ich verdrehte die Augen und zog mein Handy wieder hervor.

„Ich muss aber erst etwas nachfragen.", sagte ich und wählte Davis' Nummer.

„Danke.", Alice lächelte und kam um den Tisch herum, um mich von hinten zu umarmen, „Du bist ein Schatz."

Sie küsste mein freies Ohr.

„Jaja, ist gut, aber psst.", machte ich.

Sie schnaufte belustigt und legte ihren Kopf auf meinen.

„Leona Davis, was gibt's?", meldete sich meine Kollegin.

„Ja, hi. Es geht um den Golfclub.", antwortete ich.

„Was ist mit dem?"

„Ich wollte nur noch mal fragen, ob du da mitkommst."

Alice brummte amüsiert.

„Du hast gestern jedenfalls gesagt, du nimmst mich mit.", meinte Davis.

„Ja, stimmt.", eigentlich hatte ich gehofft, sie wäre anderweitig eingeplant, „Wo soll ich dich dann abholen?"

„Ich bin schon auf dem Weg zur Zentrale, ich wollte beim Briefing dabei sein."

„Hm.", ich stellte das Handy stumm und schielte nach oben. Alices Haare kitzelten meine Stirn.

„Wann musst du in Caythorne sein?", fragte ich.

„Gegen zehn. Cathy sagte aber, sie würde schon früher kommen, weil es viel vorzubereiten gäbe.", antwortete sie und streichelte meinen Arm, „Wenn das Briefing nicht zu lange dauert, kannst du mich danach abholen und hinfahren."

Ich seufzte und stellte das Mikro wieder an.

„Okay, ich fahre gleich los und wir fahren dann vom Revier gemeinsam.", sagte ich mit einem mulmigen Gefühl im Bauch.

„Alles klar, bis gleich."

„Bis gleich.", ich legte auf.

„Willst du mich nicht mitnehmen?", fragte Alice. In ihrer Stimme lag kein Vorwurf. Sie klang ehrlich neugierig.

„Doch, doch. Ist mir nur unangenehm, jemanden während der Arbeit dabei zu haben.", erwiderte ich und tippte ihre Nase an.

„Wer ist denn Leona Davis? Deine eigene kleine Untergebene?"

„Sie ist faktisch mir untergeordnet, aber das heißt trotzdem nicht, dass sie meine kleine Untergebene ist.", erwiderte ich ernst.

„Ach, ich mach doch nur ein Späßchen.", sie umarmte mich kräftig und lehnte sich vor, um mich von der Seite zu küssen, „Du würdest nie etwas mit einem anderen Mädchen anfangen. Dafür bist du viel zu lieb."

„Genau…", ich schüttelte ärgerlich den Kopf und trank den letzten Schluck meiner heißen Schokolade.

„Hab dich nicht so und gib mir noch einen Abschiedskuss, bevor du gehst.", sie stand neben mir und breitete die Arme aus.

Ich stand auf, umarmte sie, küsste sie und fuhr mit dem Finger flüchtig über ihren Oberkörper.

„Bis nachher.", murmelte ich und warf mir den Mantel über.

„Bis nachher. Und komm nicht zu spät. Ich will Cathy nicht so lange allein mit den anderen lassen.", erwiderte sie.

„Ich werde mich beeilen.", versprach ich und ging zur Tür. Bevor ich nach draußen ging, drehte ich mich noch einmal um und spähte auf die verführerisch schöne Waldelfe.

Sie lächelte und zwinkerte mir zu.

„Na los. Leona wartet auf dich."

Ich verdrehte die Augen und ging aus der Tür.

Kapitel 8 – Geduld, Konzentration und Präzision

Auf dem Revier war schon aller Hand los. Laura erzählte mir, dass es in der Nacht einen schlimmen Unfall auf der Schnellstraße Richtung Norden gegeben hatte. Mit Fahrerflucht. Ich ging zur Abteilung der Kriminalpolizei, wo wir unsere Zentrale hatten.

Clarke war bereits dabei, den Plan für heute zu erklären. Außer ihm, Johnson und Davis waren noch Klein und zwei weitere Constables dabei. Ich hob kurz die Hand, um den Inspektor nicht im Redefluss zu stören, und setzte mich neben Klein.

„...dank den Aufnahmen konnten wir das Alibi von Mr. Bailey bestätigen. Er ist vorgestern schon um fünf ins Haus gekommen und nicht vor sieben Uhr morgens wieder gegangen. Außerdem haben wir jetzt ein Bild von unserem vermeintlichen Täter. Dies ist ein Standbild aus den Aufnahmen der Überwachungskamera am Tor der Richardsons.", Clarke zeigte auf ein Bild an der Wand, auf dem schattenhaft eine große Person zu sehen war, „Hier sehen wir ihn um kurz vor Mitternacht über die Mauer steigen. Dann sehen wir hier Richardson selbst begleitet von wahrscheinlich der gleichen Person."

Das zweite Bild zeigte den gleichen Mann, den wir gestern Morgen im Matsch gesehen hatten. Er blickte für den Bruchteil eines Augenblicks in die Kamera. Neben ihm, von der Kamera nur halb erfasst, ging eine ähnlich große Person, die sich geschickt hinter Richardsons Figur versteckte.

„Das ist um Viertel nach zwölf. Keiner der beiden kommt noch einmal zurück. So viel zu den Kameras.", er machte eine Pause, „Ansonsten sieht es heute so aus, dass Johnson noch einmal zu

Mrs. Richardson fährt und sie wegen dieser Person auf den Kameras und wegen Thomas Shaw befragt. Das klang mir nicht überzeugend genug, was er gesagt hat. Cartwright und Davis – Sie wissen ja, was Sie zu tun haben. Klein und ich fahren noch einmal zu Richardsons Firma. Vielleicht weiß jemand, dem nicht so viel am Chef lag, mehr über ihn und diesen Shaw."

Thomas Shaw hatte gestern erzählt, dass er und Richardson nie eine wirkliche Feindschaft gehabt hatten. Es wäre bloß alles eine freundschaftliche Auseinandersetzung gewesen. Der Zeitungsbericht und der Polizeibericht über die Prügelei sagten etwas Anderes.

Und so fuhren wir einer nach dem anderen los. Ich wartete, bis der Rest gefahren war, und unterhielt mich noch mit Laura, weil die Geschichten über ihren Hund so interessant waren.

Hauptsächlich aber, weil ich das Abholen von Alice möglichst lange aufschieben wollte.

Als meine Kaffeetasse leer war, verabschiedete ich mich und bedeutete Davis mitzukommen.

„Was gab es noch so spannendes zu besprechen?", fragte sie im Auto.

„Nur privates. So etwas.", ich winkte ab, „Apropos – ich muss noch jemanden abholen. Macht dir das etwas aus? Ich bringe sie nur kurz zur Arbeit. Als Gefallen."

„Nein, kein Problem.", sie schüttelte den Kopf.

„Gut.", ich drehte das Radio auf und konzentrierte mich auf den Wetterbericht.

„Wer ist *sie* denn?", sie schmunzelte.

„Ach, nur eine Bekannte.", meinte ich und fuhr in die Straße, in der Alices Haus lag.

„Ach so.", Davis nickte. Es klang sehr danach, als würde sie etwas in meine Antwort hineininterpretieren. Normalerweise hätte mich das kaum gestört, aber bei Alice war das etwas anders.

Ich hielt vor ihrer Haustür und stieg aus. Hastig klingelte ich. Es dauerte einen Moment, dann öffnete sie.

„Hi, da bist du ja. Warte, ich ziehe mir nur kurz eine Jacke über.", sie blickte an mir vorbei zum Auto, „Ist das Leona?"

„Davis, ja. Das ist meine Kollegin."

„Von mir aus auch Davis. Aber sei nicht so mufflig. Das steht dir nicht.", meinte sie amüsiert und lief zum Auto.

Wieder verdrehte ich die Augen. Ich schloss die Haustür und setzte mich in den Wagen. Alice reichte gerade Davis die Hand.

„Hi, ich bin Alice Woodland. Eine Freundin von Matthew.", sagte sie fröhlich.

„Hi, ich bin Leona Davis. Freut mich, Sie kennenzulernen.", erwiderte Davis freundlich und schüttelte ihre Hand.

„Es freut *mich*, Sie kennenzulernen. Matthew hat mir einiges über Ihre Arbeit erzählt. Ich habe mich immer gefragt, wie es so ist – als Polizistin.", meinte Alice, „Sicherlich sehr anstrengend?"

Ich runzelte verärgert die Stirn. Ich hatte ihr rein gar nichts erzählt. Außer wie wir mit dem Fall vorankamen. Das war noch lange kein repräsentatives Bild vom Leben eines Polizisten.

„Naja, es geht. Es gibt solche und solche Tage.", Davis warf mir einen beeindruckten Blick.

Ich zuckte mit den Schultern und fuhr los.

„Arbeiten Sie schon lange mit ihm zusammen?", fragte Alice.

77

„Keine Ewigkeiten, aber schon eine Weile, ja."

„Wie ist er so? Als Ermittler? Ist er da auch so lieb, wie wenn er Feierabend hat?"

Ich verzog angespannt das Gesicht. Wie sie das sagte, klang es, als wäre zwischen uns mehr als nur eine Bekanntschaft.

„Er ist...ehrgeizig dabei und –", Davis musterte mich, „ein guter Kollege."

„Wie ist er so zu Ihnen? Respektiert er Sie auch? Oder tut er nur wie Gentleman?", drängte Alice weiter.

Ich unterdrückte einen Seufzer. Wahrscheinlich klang es für Davis nicht einmal so extrem nach einer Beziehung. Und Alice vermisste es wahrscheinlich, mit anderen über ihren Freund sprechen zu können.

„Nein, er ist nett und respektiert mich. Keine Frage, also da ist er ein Gentleman. Nur manchmal ist er etwas schweigsam und ein bisschen mürrisch.", antwortete Davis belustigt.

„Ja, das stimmt. Das kann einem manchmal ziemlich auf die Nerven gehen.", lachte Alice und stupste mich in die Schulter.

Ich grunzte schulterzuckend und bog Richtung Caythorne Heath ab. Die Unterhaltung ebbte langsam ab und ich setzte Alice vor dem Bahnhof in Caythorne ab, wo ihre Freundin schon auf sie wartete.

„Sie ist nett.", bemerkte Davis, als wir vom Bahnhof davonfuhren.

„Hm."

„Darf ich dich etwas Persönliches fragen?"

Ich war überrascht, aber schätzte es sehr, dass sie vorher fragte.

„Was denn?"

„Ist sie deine Freundin?"

Ich sah auf die Straße, die vom Regen das Licht der Scheinwerfer reflektierte.

„Nein – naja, so etwas...", ich kratzte mich am Kinn, „in der Art, ja."

„Es ist kompliziert?"

„Ja. Schon irgendwie.", ich biss mir auf die Lippen.

„Bei mir auch. Es ist nicht einmal, dass ich, nun ja, auf Frauen stehen könnte. Sondern viel mehr, dass ich es nicht richtig weiß, weißt du?", sie sah mich fragend an.

„Du musst mir das nicht erzählen.", entgegnete ich.

„Ich möchte es aber jemandem erzählen. Und dir ist das ja wahrscheinlich ziemlich egal. Also ich verletze damit nicht deine Gefühle.", sagte sie leise, „Hoffe ich doch?"

Ich schnaufte schmunzelnd.

„Nein, auf keinen Fall. Mich geht das auch gar nichts an, für wen du etwas empfindest.", erwiderte ich.

„Eben. Deswegen kann ich mit dir eher reden als mit Rose zum Beispiel."

„Rose ist –"

„Meine Schulfreundin ja. Wir haben in der Schule ein bisschen herumgealbert und rumprobiert.", sie schien in ihrem Sitz zu schrumpfen und wurde rot, „Und seitdem weiß ich nicht mehr richtig, was, was, was ich bin, weißt du? Ich habe ein paar Jungen gedatet und hatte auch eine Zeit lang einen Freund, aber –"

Sie verstummte und zog ihre Jacke bis zur Nase hoch.

„Das ist nicht das richtige?", fragte ich.

Sie zuckte mit den Schultern und murmelte etwas Unverständliches.

Dann setzte sie sich auf und zog die Jacke zurecht.

„Wir sind da.", sie deutete auf ein Schild an der Landstraße, das eine Einfahrt in 500 Metern ankündigte.

So war das Thema beendet und wir konzentrierten uns wieder auf unsere Arbeit.

Der Golfclub hatte einen großen Parkplatz, auf dem viele große Autos parkten. Das Hauptgebäude war flach und hatte nur ein Stockwerk. Daneben wuchs ein kleines Hotel fünf Stockwerke hoch.

Der Eingangsbereich war mit frisch geputzten Holzdielen und schwarzen Ledersesseln ausgestattet. Hinter einem eleganten Tresen stand ein junger Mann in Polohemd, Cap und weißer Jeans. Seine goldene Gürtelschnalle glänzte in dem warmen Licht der Lampe über seinem Kopf. Auf einem Schild an seiner Brust stand „Willkommen, ich bin H. Carter".

Ich ging direkt auf ihn zu und setzte mein desinteressiertestes Gesicht auf.

„Morgen, ich bin Matthew Cartwright. Ich möchte mit Mr. Richardson sprechen. Ist er hier?", begrüßte ich den freundlich lächelnden Mann.

„Tut mir leid, Mr. Richardson ist heute noch nicht hier gewesen. Kann ich Ihnen trotzdem etwas Gutes tun?", fragte H. Carter.

Ich warf Davis einen herablassend enttäuschten Blick zu.

„Hm. Eigentlich wollte ich mich mit Mr. Richardson treffen. Er und ich haben noch eine Sache zu klären, wissen Sie. Ich habe gehört, hier findet man ihn öfter. Oder hat er da auch gelogen? Zuzutrauen wäre es ihm ja.", erwiderte ich.

„Nein, nein. Das stimmt. Mr. Richardson kommt öfters hier her. Erst gestern ist er hier gewesen, glaube ich, und ich bin mir nicht sicher, aber ich glaube, er wollte heute wieder kommen.", sagte Carter einen Blick auf den Bildschirm vor ihm werfend, „Soll ich ihm sagen, dass Sie ihn sprechen wollen, wenn er kommt? Ich könnte ihm Ihre Nummer hinterlassen."

„Nein, das würde nichts bringen. Ich habe ihn schon mehrfach angerufen. Er geht nicht ran, es scheint, als würde er mir absichtlich aus dem Weg gehen. Sagen Sie, wann wollte er denn hier sein? Vielleicht warte ich so lange.", ich sah auf die Uhr.

„Ich weiß nicht, ob Sie so lange warten wollen, aber er hat in einer Drei-Viertelstunde einen Tisch im Café reserviert – zusammen mit Dr. Martins.", Carter sah mich fragend an.

Natürlich wollte ich so lange warten. Deshalb waren wir hier. In Richardsons Terminkalender hatte für heute in einer Drei-Viertelstunde „G mit Dr. M" gestanden. Jetzt wussten wir auch, was das bedeutete.

„Ich werde auf ihn warten. Vielen Dank. Da drüben?", ich wies den Gang hinunter, wo das Schild „Café" hinzeigte.

„Ja genau. Ich werde ihm sagen, Sie warten auf ihn, wenn er ankommt.", sagte Carter.

„Lieber nicht, sonst rennt er wieder davon.", ich schüttelte den Kopf und ging mit Davis davon in Richtung Café.

„Glaubst du wirklich, dieser Dr. Martins taucht hier auf? Vielleicht hat er schon davon erfahren, dass Richardson tot ist.", flüsterte Davis, als wir an einer Tafel mit Spielerlisten vorbeigingen.

„Von wem? Von Mrs. Richardson bestimmt nicht und in der Presse steht es noch nicht.", winkte ich ab.

„Wenn er der –", sie blickte sich um, „Mörder ist? Dann wird er bestimmt nicht kommen."

Ich zuckte mit den Schultern und betrat das Café.

Es war ein geräumiger Raum, der durch ein schmiedeeisernes Geländer und drei Stufen in zwei Ebenen geteilt war. Auf der oberen war neben ein paar Tischchen die Theke, an der schon zwei Herren saßen und ein stereotypisches, englisches Frühstück aßen. Auf der unteren saßen drei weitere Herren und eine Frau. Sie alle blickten durch ein großes Panoramafenster auf die Greens.

Ich ging auf die Theke zu und klopfte auf das Holz. Der Kellner drehte sich um.

„Guten Tag, was kann ich für Sie tun?"

„Tag, könnten Sie mir sagen, an welchem Tisch Mr. Richardson normalerweise sitzt? Ich bin mit ihm verabredet.", antwortete ich laut genug, damit es alle im Raum hören konnten.

„Ja, klar. Da vorne am Fenster, der zweite Tisch neben der Tür.", der Kellner wies zu dem Platz, „Ansonsten noch etwas? Einen Drink oder etwas zu essen?"

Ich nickte lächelnd und ging zu dem leeren Tisch.

„Einen Tee, bitte."

Der Kellner sah zu Davis.

„Für mich einen Kaffee, bitte.", sie folgte mir und wir setzten uns.

Soweit ich es beobachten konnte, war keiner besonders aufgefallen. Die beiden Herren beim Frühstück hatten kurz aufgeblickt und mich neugierig gemustert, aber sich sogleich wieder ihrem stummen Gespräch gewidmet.

Ich gab mich etwas selbstsicherer und wichtiger als ich sonst tat. Ich wollte auffallen. Jeder, der mich sah, sollte wissen, dass ich etwas Wichtiges zu tun hatte. In diesem Fall mit Mr. Richardson sprechen. Nur wussten diese Leute noch nicht, dass er tot war.

Die Getränke kamen. Ich ließ den Blick durch den Raum und über die Grünflächen wandern. Trotz des miserablen Wetters waren einige Golfer draußen unterwegs und es schien, obwohl das Wochenende noch unverschämt weit entfernt war, dass es auch noch voll werden würde.

„Wegen vorhin.", Davis lehnte sich vor, „Ich wollte da noch mal sagen..."

„Schieß los.", flüsterte ich.

„Ich wollte mich bedanken, weil du nicht gleich das Thema gewechselt hast.", sie trank einen Schluck Kaffee und etwas von der Sahne blieb an ihrer Nasenspitze.

„Kein Problem. Über Dinge reden ist das Wichtigste, das man machen kann. Es kann Leben retten.", meinte ich. Hatte ich aus einer Werbung für psychische Gesundheit. Aber ich hatte auch am eigenen Leib erfahren, dass es nicht bloß leere Worte waren.

„Wenn du über Alice reden willst – oder über irgendetwas – dann habe ich ein offenes Ohr für dich...", sie merkte, dass ich den Kopf sachte schüttelte, „Aber wenn du erstmal nicht darüber reden willst, ist das völlig okay."

Ich hielt mir die Teetasse vor das Gesicht, sodass mir der heiße Dampf in das Gesicht stieg. Davis lehnte sich wieder zurück und wischte die Sahne von ihrer Nasenspitze.

Es dauerte noch knappe zehn Minuten, bis unser Besuch kam. Ich hätte erwartet, dass es länger dauern würde, aber einem geschenkten Gaul und so weiter...

Es handelte sich um einen Mann Mitte fünfzig. Außer einem dunklen, dünnen Schnauzer war er glattrasiert. Sein Haaransatz war in den letzten Jahren einige Zentimeter nach oben verrutscht. Seine Kleidung war genau wie die der anderen Anwesenden (außer der unseren) so, wie sich reiche Leute sportliche Kleidung vorstellten.

Sein Blick war wachsam und stechend. Wie ein Adler blickte er, fast ohne zu blinzeln, durch den Raum. Als er entdeckte, dass wir an seinem Platz saßen, blieb er irritiert stehen und musterte uns. Ich lächelte so, als würde mich sein Starren stören.

Verwirrt drehte er sich zum Barmann und sprach mit ihm. Vermutlich fragte er, wer wir waren oder warum wir auf seinem Platz saßen, der ja reserviert war.

Der Kellner wies ein paar Mal auf uns, während er sprach, und gab dem Herrn am Ende ein Glas Wasser. Mit dem Gesicht eines Mannes, dem etwas sonst selbstverständliches verweigert wurde, trat der Herr zu uns an den Tisch.

„Entschuldigen Sie, mein Herr –", er neigte den Kopf in Davis' Richtung, „meine Dame, aber dieser Platz ist reserviert."

Er stellte sein Glas ab und wies auf das Reserviert-Schildchen in der Mitte des Tischs.

„Das sehe ich. Mr. Richardson hat diesen Tisch reserviert. Ich bin hier mit ihm verabredet.", entgegnete ich.

„Da müssen Sie sich irren.", er schüttelte den Kopf, „Ich bin hier mit Mr. Richardson verabredet. Da haben Sie sich vertan."

Ich sah herablassend an dem Mann herunter.

„Und wer sind Sie, wenn ich fragen darf? Ein Freund von Mr. Richardson?"

„Ich bin Dr. Martins, Hugo Martins. Mr. Richardson und ich treffen uns schon seit Jahren hier. Ich kann mir nicht vorstellen, dass Sie –"

„Sie brauchen sich nichts vorzustellen. Ich bin hier. Und es scheint, als seien Sie auch hier. Ich schlage vor, wir warten hier, bis er persönlich kommt und dieses Missverständnis aufklären kann.", sagte ich und hielt ihm meine Hand hin, „Erfreut, Sie kennenzulernen, Cartwright ist mein Name."

„Hm.", Martins verzog das Gesicht und schüttelte schließlich widerwillig meine Hand. Dann setzte er sich.

„Das ist übrigens meine Kollegin. Ms. Davis.", meinte ich auf sie deutend.

„Guten Tag.", grummelte Dr. Martins.

„Guten Tag.", Davis nickte.

„In welcher Sache wollen Sie denn mit ihm sprechen?", fragte er nach einer Weile des stummen Musterns, „Sind Sie geschäftlich an ihm interessiert? Oder geht es vielleicht um seine Tochter?"

Ich war überrascht. Damit hatte ich nicht gerechnet.

„Was ist mit seiner Tochter?", fragte ich unvorsichtig.

„Nun, ihr geht es nicht gut. Er hat mich schon mehrfach wegen ihr zu sich gerufen. Ich dachte, vielleicht sind Sie sein nächster Versuch, der Armen zu helfen.", antwortete Martins an seinem Glas nippend.

„Inwiefern hat er Sie zu sich gerufen?", ich kratzte mich am Kinn.

„Ich bin Arzt."

„Ach so.", ich nickte und kam mir seltsam dämlich vor. Dr. Martins, ein Arzt. Welche Überraschung.

Martins warf einen Blick auf Davis und musterte dann wieder mich. Ich war angespannt. Meine Fragen waren zu offensichtlich. Irgendwann würde ich auffliegen und müsste mich als Polizist outen. Ich hoffte, dass es noch etwas dauern würde. Meistens gaben die Leute mehr preis, wenn Sie nicht dazu verpflichtet waren, die Wahrheit zu sagen.

„Aber Sie sind keiner, nehme ich an.", er hob eine Augenbraue.

„Richtig."

„Was sind Sie dann? Ein Kollege? Ein Geschäftspartner?"

„Nicht direkt, ich versuche schon seit ein einiger Zeit, mit ihm zu sprechen, aber er geht nicht ans Handy…er hätte auch einen Grund, aber…", ich sah über die Greens zum Himmel. Ich kannte den Film „50 shades of grey" nicht, aber ich wusste, worum es ging. Trotzdem fand ich, dass ein Tag wie dieser gut ein „50 shades of grey"-Tag sein konnte. Zumindest den Himmel betrachtend.

„Verzeihung?", der Doktor lehnte sich vor.

„Nichts, ich sagte nur, dass er nicht an sein Handy geht. Eine Ahnung, warum?", ich hob meine Teetasse an und trank einen Schluck.

„Nein.", er schüttelte den Kopf, „Also gestern schien er ziemlich gehetzt. Die Arbeit hat ihm, glaube ich, eine Menge Stress gemacht."

„Hm, da war ich schon. Man hat mir gesagt, er sei am Nachmittag gegangen, aber zu Hause ist er wohl erst am Abend angekommen. Gibt es vielleicht jemanden, mit dem er sich getroffen haben könnte?", fragte ich bemüht unauffällig.

„Ich wüsste nicht, was Sie das anginge."

„Ich bin nur neugierig. Es ist interessant zu sehen, wie viel Zeit jemand hat, wenn er anderen sagt, er sei beschäftigt.", meinte ich schulterzuckend.

Martins sah mich misstrauisch an.

„Sie haben mir immer noch nicht gesagt, was Sie von ihm wollen."

„Ah, ja. Stimmt.", ich nickte und lächelte, „Tut mir leid."

Angespannt sah ich mich in den Raum nach einer Hilfe um. Diese kam in Form von Davis.

„Wir sind hier, weil Mr. Richardson uns wegen einiger wichtigen Dinge beauftragt hat.", sagte sie unbeeindruckt.

„Nun ja, viel eher war es seine Frau.", korrigierte ich, um davon abzulenken, dass sich Davis das gerade ausgedacht hatte.

„Seine Frau?", Martins schien überrascht, „Was haben Sie mit seiner Frau zu tun?"

„Nichts Besonderes. Es geht nur die Familie Richardson und uns etwas an.", antwortete ich abwinkend.

Aus irgendeinem Grund schien ihn diese Aussage nervös zu machen. Es war nicht sofort offensichtlich, aber Dr. Martins kratzte sich auffällig oft an seinem Kieferknochen.

„Kennen Sie Mrs. Richardson? Sie ist eine nette Frau. Es lohnt sich wirklich, sie kennenzulernen.", ich griff wieder nach meinem Tee. Mein Bauchgefühl sagte mir etwas, aber ich war nicht sicher, ob ich ihm trauen konnte.

„Ja, wir sind uns schon mal…begegnet.", er nickte.

Das war es. Das kleine, unscheinbare Zögern hatte ihn verraten. Sagte mir mein Bauch. Ich ließ mir nichts anmerken und lehnte mich zurück. Nachdenklich ließ ich den Blick über die Grünanlagen gleiten. Ich musste ihn irgendwie dazu bewegen, das zu gestehen, was mein Bauch mir sagte. Davis leerte ihren Kaffee und sah auf die Uhr. Da kam mir eine Idee.

Ich tippte meine Kollegin an und bedeutete ihr zu gehen. Sie sah mich verwirrt an, gehorchte aber und ging zurück in den Flur.

„Wo geht Ihre Kollegin hin?", Martins sah ihr hinterher.

„Auf Toilette. Wir warten schon etwas länger.", erwiderte ich beiläufig.

Dann zog ich möglichst natürlich mein Handy hervor und tippte eine Nachricht an sie.

Ich tat so, als würde ich nach einer Nachricht von Richardson suchen, und steckte das Gerät wieder ein.

„Schon seltsam, nicht?"

„Hm?", Martins sah auf.

„Dass unser Freund mich so ignoriert.", ich seufzte.

Wenn Davis meine kryptische Nachricht verstanden hatte und mein Bauchgefühl richtig lag, würde der gute Dr. Martins in wenigen Minuten eine Nachricht oder sogar einen Anruf bekommen.

Einige Augenblicke hingen wir stumm unseren Gedanken nach. Ich betrachtete das graue Wetter und er blickte ausdruckslos auf die vorbeigehenden Golfer. Mit jeder Minute kamen ähnliche Leute wie Martins vor dem Fenster vorbei und zogen Golftaschen, trugen Schläger oder unterhielten sich gestikulierend.

„Spielen Sie?", fragte ich.

„Oh, ja. Jeden Tag, sonst würde ich nicht hier herkommen."

„Jeden Tag?", ich zeigte mich beeindruckt.

„So oft es geht. Es kommt nicht selten vor, dass einer von uns absagt oder verreist ist. Oder die Plätze sind gesperrt. Das hatten wir auch schon."

„Wie kommt so etwas? Ein Krokodil auf dem Green?", fragte ich schmunzelnd.

„Vielleicht in Florida, aber hier nicht, nein. Aber es könnten andere Tiere sein. Wildschweine könnten den Rasen aufgegraben haben. Das war letztes Jahr einmal der Fall. War echt schlimm, aber jetzt haben sie die Zäune außen verstärkt. Spielen Sie?"

Ich schüttelte den Kopf.

„Nein, dafür habe ich keine Zeit. Doch, selbst wenn ich die hätte, ich glaube nicht, dass es mir liegen würde."

„Warum nicht? Eigentlich ist es ganz einfach."

„Ich schätze mal, dass es mir einfach zu lange dauert. Dafür braucht man Geduld und Konzentration...Präzision. Da bin ich wahrscheinlich einfach zu unruhig für.", meinte ich schulterzuckend.

„Das stimmt schon. Es ist ein Geduldsspiel. Sie können nicht einfach schnell-schnell einen Schlag machen und von Loch zu Loch hetzen. Aber darum geht es auch gar nicht. Es ist wichtig, diese Ruhe zu haben und sich auch die Zeit dafür zu nehmen. Wenn man rennen möchte, sollte man zur Leichtathletik gehen."

„Da haben Sie wahrscheinlich recht.", ich nickte lächelnd und warf einen Blick zur Tür. Wo war Davis? Sie müsste schon längst wieder zurück sein. Vielleicht war Johnson gar nicht mehr bei Mrs. Richardson.

„Weshalb sind Sie wirklich hier? Sie sind doch nicht einfach gekommen, um etwas mit Mr. Richardson zu besprechen, oder? Dann hätten Sie auch zu ihm nach Hause fahren können. Die Adresse ist schließlich bekannt."

Ich wandte mich Martins zu. Sein stechender Blick bohrte sich in meinen Hinterkopf. Damit hatte er mich überrascht. Er war also aufmerksamer als ich gedacht hatte. Er hatte meine neugierigen Fragen durchschaut.

„Ich bin auch hier, um mit Ihnen zu sprechen.", sagte ich und lehnte mich vor.

„Warum? Sind Sie von der Presse? Von den Klatschblättern?"

„Nein, ich bin nicht von der Presse, auch nicht von den Klatschblättern und ich möchte meine Informationen auch nicht an den Meistbietenden verkaufen.", ich blickte erneut zur Tür.

„Wer sind Sie dann? Und was wollen Sie von mir?", Martins wandte seinen Blick nicht von mir ab.

Ich entschied mich, dass es weiteraufzuschieben die Dinge nur unnötig kompliziert und auffällig machen würde.

„Ich bin hier, um Mr. Richardsons Mörder zu finden."

Eine plötzliche Stille lähmte den Raum. Es hatte etwas komisches an sich. Die Leute hatten in ihren Gesprächen inne gehalten und Dr. Martins starrte mich fassungslos an. Es war fast wie ein Witz, nur andersherum. Keiner lachte, alles stand still.

„Wie bitte?", der Doktor sah mich ungläubig an.

„Ich bin Detective Sergeant Matthew Cartwright. Ich bin hier, um den Mord an Mr. Richardson aufzuklären.", sagte ich mit ruhiger und leiser Stimme. Ich zog meinen Ausweis hervor.

„Oh.", er schluckte, „Mord?"

„Ja, er ist gestern Morgen erstochen gefunden worden."

„Das wusste ich nicht.", er sah sich nervös um.

„Kommen Sie. Wir gehen ein wenig spazieren. Ich hätte noch ein paar Fragen an Sie.", ich wies auf die Tür nach draußen und stand auf.

„Aber, aber ich habe damit nichts zu tun. Ich würde nie –", er runzelte unsicher die Stirn und folgte mir.

Draußen stieß auch Davis wieder zu uns. Sie gab mir einen kleinen Knuff in den Arm und nickte knapp.

Wir begaben uns auf einen Pfad, der zwischen den Spielanlagen hindurchführte, und ich begann die typischen Standardfragen zu stellen.

Wo waren Sie zur Tatzeit? Wer kann das bezeugen?

In welcher Beziehung standen Sie zum Opfer?

Welche Gründe könnte jemand haben, ihn zu ermorden?

Hatten Sie Streit mit dem Opfer?

Solche Fragen.

Interessant wurde es, als wir gerade darüber sprachen, wo Mr. Richardson nach der Arbeit hingefahren sein könnte, denn in dem Moment klingelte Dr. Martins' Handy.

Er entschuldigte sich und zog es hervor. Es war ein beinahe nagelneues Modell. Er hielt es geschickt, sodass weder Davis noch ich auf den Bildschirm blicken konnten.

„Da muss ich kurz rangehen, okay? Sollte nicht zu lange dauern. Entschuldigen Sie.", er wischte über den Bildschirm und hielt sich das Gerät ans Ohr. Er machte einige Schritte, bevor er zu sprechen begann.

„Ja, was gibt es denn?", er klang genervt.

Davis und ich wechselten einen vielsagenden Blick.

„Ich kann jetzt nicht. Ich bin mitten in einer –"

Er machte eine verärgerte Geste und drehte sich von uns weg.

„Nein, habe ich nicht. Warum sollte ich? Das wäre doch absurd.", eine Pause, „Nein, hör zu – hör du mir mal zu. *Ich* habe nichts gesagt. Ich weiß nicht, was du wieder erzählt hast in deinem Plauderwahn. Es –"

Der Himmel hatte langsam angefangen seine Schleusen zu schließen. Die Tropfen wurden weniger.

„Ich glaube kaum, dass –", wieder eine Pause, „Du verstehst das falsch. *Ich* habe niemandem irgendetwas erzählt. *Ich* habe alles verschwiegen. Wir haben darüber gesprochen –"

Ich steckte meine kalten Hände in die Manteltasche. Es klimperte leise. Das Kleingeld vom letzten Pubbesuch musste noch in den Tiefen liegen.

„Schon seit langem. Das ist alles schon seit langem geklärt. Da gibt es keine Probleme. Hör zu…hör zu, wenn du wieder irgendein Fass aufmachen willst –", er hob wütend die Hand, „Wenn du wieder irgendwelche längst vergessenen Geschichten ausgraben möchtest, dann tu das bitte, aber behalte es für dich und lass uns ehrbare Bürger damit in Ruhe. Ich habe einmal den Fehler gemacht und werde ihn nicht wieder tun. Auf Wiedersehen."

Er legte auf und steckte das Handy ein. Schnell taten Davis und ich so, als hätten wir noch gar nicht bemerkt, wie schön unsere Schuhe aussahen.

Grummelnd kam er wieder zu uns.

„Manche Leute wollen es einfach nicht verstehen.", sagte er und schüttelte den Kopf, „Immer müssen sie andere Leute in ihre Probleme mit hineinziehen."

Ich nickte verständnisvoll.

„Darf man fragen, worum es ging?", Davis gab sich höflich besorgt.

„Nicht so wichtig. Ich finde es nur unverschämt zu meinen, dass man immer bei allem Schuld hat und dann auch noch für die Lösung des Problems verantwortlich ist.", er räusperte sich, „So, wo waren wir?"

„Bei der Frage, was Mr. Richardson am Nachmittag Ihrer Meinung nach getan hat.", erwiderte ich.

Martins erzählte, dass es sehr wichtig und kurzfristig für Mr. Richardson gewesen sein musste. Es war sonst nicht seine Art, ohne ein Wort zu jemanden zu verschwinden. Normalerweise erzählte er seiner Frau oder seinen Angestellten, wo er hinging, damit sie Hilfe holen konnten, wenn etwas passierte. Es hätte laut Martins gut sein können, dass Richardson etwas vor seiner Frau verheimlichte. Es wäre schon längere Zeit nicht mehr so gut zwischen ihnen gelaufen. Sie hätten sich über die Jahre auseinander gelebt. Mr. Richardson war ruhiger und besonnener geworden. Er hätte sich immer mehr auf seine Arbeit konzentriert und der Familie, vor allem aber Mrs. Richardson weniger Beachtung geschenkt.

Wir bedankten uns bei Martins und gingen zurück zum Auto. Dort rief ich als allererstes Johnson an. Ich wollte wissen, ob ich mit meiner Idee recht hatte und ob der Plan funktioniert hatte.

Kapitel 9 – Nur ein wenig intimes Vergnügen

Johnson erzählte, dass Mrs. Richardson bei der Erwähnung des Namens Martins gezögert hatte. Das allein war nicht wirklich aussagekräftig. Allerdings hatte sie danach bestritten, zu wissen, um wen es sich bei Dr. Martins handelte. Das würde nicht mit dem übereinstimmen, was Martins selbst gesagt hat. Er hätte sie schon mal getroffen. Auch das war noch nicht genug, um meine Vermutung zu bestätigen. Es waren nur Hinweise auf eine Ungereimtheit. Es könnte auch einfach sein, dass Mrs. Richardson den Doktor auf irgendeiner Veranstaltung kurz getroffen hatte und nie wieder etwas von ihm gesehen hatte. Da konnte man schon mal vergessen, wer er war. Trotzdem war da mehr, das spürte ich.

Und das sagte auch Johnson. Er hatte, als er in die Küche gegangen war, um noch einmal mit den Angestellten zu sprechen, ein lautes Telefonat mithören können. Ein Telefonat mit einem Hugo. Das war schon deutlich stichhaltiger. Dr. Hugo Martins hatte nämlich zeitgleich mit jemandem telefoniert. Für mich genügte das. Ich sagte Johnson, er sollte noch bei den Richardsons bleiben und auf ein Zeichen von mir warten. Er antwortete, dass ich mich verpissen sollte. Ich wäre nicht sein Vorgesetzter.

Dann gingen wir wieder zurück in den Golfclub. Dr. Martins saß diesmal bei einem Heißgetränk am selben Tisch, wo wir vorher gesessen hatten. Wir fragten ihn nach Mrs. Richardson und dem Telefonat. Er wirkte nicht überrascht und erzählte nach einigen Ausweichversuchen, was vorgefallen war.

Das Ehepaar Richardson war vor gut einem Jahr auf einer Feier im Golfclub gewesen. Es war ein großes Dinner gewesen. An die 100 wichtige und weniger wichtige Menschen waren eingeladen gewesen. Unter ihnen auch Dr. Martins. Seine Ehefrau hatte nicht kommen können, weil sie gerade auf Geschäftsreise gewesen war.

Der Doktor war mit dem Toten ins Gespräch gekommen und Richardson hatte ihm seine Frau vorgestellt. Als Mr. Richardson für einen Moment beschäftigt war, hatte Mrs. Richardson dem Doktor gegenüber einige Anmerkungen gemacht, und das war den ganzen Abend so weiter gegangen.

Ungefähr einen Monat später war Mrs. Richardson bei Dr. Martins in der Praxis aufgetaucht und sie hatten sich für einen Abend verabredet, an dem sie beide nicht von ihren Ehepartnern vermisst werden würden. Diese Verabredungen hatten sie vielleicht zehn Mal wiederholt, bevor Mr. Richardson davon Wind bekam. Er stellte Martins zur Rede und sie lagen wochenlang im Streit. Schließlich einigten sie sich darauf, es bei einer persönlichen Vereinbarung zu belassen.

Als ich fragte, was es mit dieser Vereinbarung auf sich hatte, winkte Martins ab und zuckte mit den Schultern. Er sagte, es wäre eigentlich nichts. Er sollte sich von Mrs. Richardson fernhalten, Stillschweigen über die Sache bewahren und die Behandlung von Florence abbrechen.

„Weshalb haben Sie sie eigentlich behandelt?", fragte Davis.

„Eigentlich darf ich Ihnen das nicht sagen.", Martins sah uns herausfordernd an.

„Eigentlich hören wir auch gar nicht zu.", erwiderte ich.

Martins hob die Augenbrauen.

„Nun, ihr geht es nicht gut. Ich weiß nicht, wie ihr Zustand jetzt ist, aber ungefähr seit ihrem ersten Lebensjahr schläft sie nicht gut. Sie liegt lange wach, ohne einen Ton von sich zu geben. Sie schreit und weint wenig. Es gibt auch sonst wenig Anzeichen auf andere körperliche Beschwerden. Das einzige, das noch auffällig ist, ist ihre Lust- und Energielosigkeit. Was jedoch verständlich ist, wenn man nicht schläft.", er sah sich um und nahm einen Schluck aus seiner dampfenden Tasse.

„Verstehe. Was haben Sie unternommen?", fragte ich.

„Ich habe Mr. Richardson gesagt, er solle zur Beobachtung ein Babyphone aufstellen. Dann habe ich mir die Bilder angesehen und ihr Schlafmittel gegeben. Geringe Dosis, ich wollte sie ja nicht in so jungen Jahren völlig zudröhnen und womöglich noch abhängig machen. Außerdem sollte sie jeden Abend Baldriantee bekommen. Etwas anderes konnte ich nicht tun. Wahrscheinlich kein Arzt der Welt.", er zuckte mit den Schultern.

„Wann haben Sie die Behandlung abgebrochen?"

„Im Frühjahr. Kurz nach meiner Auseinandersetzung mit Richardson."

„Und an wen haben Sie Florence weitergeleitet?"

„An niemanden. Richardson wollte selbst einen anderen Arzt suchen. Ab und zu hat er mal davon erzählt, dass er den Arzt gewechselt hat, weil sich der Zustand von Florence verschlechtert hat oder der Kollege unfreundlich war. Ich kann Ihnen aber nicht sagen, wer momentan die Kleine behandelt.", antwortete er.

„Hm, okay. Trotzdem vielen Dank.", ich notierte mir ein kleines Fragezeichen in meinem Notizblock, „Wissen Sie, wie Mr. Richardson mit seiner Frau umgegangen ist, nachdem er das zwischen Ihnen herausgefunden hat?"

Martins schüttelte den Kopf.

„Nein, keine Ahnung. Er hat auch danach nie wieder mit mir darüber gesprochen."

Ich nickte und stand auf.

Wir verabschiedeten uns erneut und gingen diesmal wirklich.

Ich wollte nicht erst bei Johnson anrufen und lange mit ihm diskutieren. Das war mir heute zu doof. Deswegen fuhr ich direkt zum Haus der Richardsons. Etwas überrascht war ich schon, als ich seinen Wagen noch immer auf dem runden Platz stehen sah. Ich hatte damit gerechnet, dass er zumindest mit dem Gedanken spielen würde, ohne auf eine Nachricht von mir zu warten, wegzufahren.

Davis und ich stiegen aus und klingelten. Der Regen hatte aufgehört. Dünne Wolkenschleier zogen über den blassen Himmel. Die Sonne wollte sich immer noch nicht zeigen, aber immerhin wurden wir nicht bei jedem kurzen Spaziergang nass.

„Ja?", Ms. Harris öffnete.

„Guten Tag. Wir müssen uns mit unserem Kollegen einmal besprechen. Können wir hereinkommen?", erwiderte ich.

„Klar, er ist im Kaminzimmer bei Mrs. Richardson.", Ms. Harris nickte und hielt uns die Tür offen. Mit einer Hand wies sie in Richtung des Kaminzimmers.

Mir kam sie schwach vor. Ihre Bewegungen waren langsam und schwunglos. Auch ihr Gesicht sah nicht sonderlich gesund aus. Sie war blass und hatte dunkle Augenringe.

„Da konnte jemand nicht schlafen.", Davis hatte es auch bemerkt.

Ich nickte und beobachtete, wie Ms. Harris den Flur hinunterging und hinter einer Ecke verschwand.

„Gewissensbisse oder Zukunftsängste?"

Ich zuckte mit den Schultern.

„Wollen wir?", ich zeigte zur Tür.

„Klar."

Ich klopfte, wartete nicht auf eine Antwort und trat wie selbstverständlich ins Kaminzimmer.

Johnson schreckte leicht überrascht hoch und sah mich finster an.

Ich lächelte freundlich ihm und Mrs. Richardson zu.

„Guten Tag.", sagte ich und setzte mich zu Johnson auf das Sofa.

„Guten Tag.", erwiderte Richardson tonlos. Auf den ersten Blick wirkte sie nicht besonders betroffen. Sie saß ausdruckslos und steif in dem Sessel und fixierte mich musternd.

Auch auf den zweiten Blick sah sie nicht aus wie die typische trauernde Witwe. Sie wirkte eher verärgert von meiner Anwesenheit und der meiner Kollegen. Als würde sie viel lieber ungestört über ihre Angestellten herziehen oder mit großem Wagen zum Shoppen fahren.

„Was soll das? Ich hatte alles im Griff. Was wollt ihr beide hier?", zischte Johnson wütend.

„Ich wollte mich nicht erst mit einem Anruf ankündigen.", sagte ich laut und an Mrs. Richardson gerichtet, „Wir haben nämlich einige interessante Dinge erfahren und würden uns freuen, von Mrs. Richardson die ungefilterte, erste Reaktion mitzuerleben."

Johnson grunzte und verschränkte die Arme vor der Brust. Ich warf einen kurzen Blick zu Davis, um mich zu vergewissern, dass ich mich nicht zum Affen machte. Sie zwinkerte und sah Mrs. Richardson interessiert an.

„Um welche interessanten Dinge geht es, wenn ich fragen darf? Was haben Sie sich wieder zusammengereimt?", fragte diese unbeeindruckt.

„Wie war eigentlich Ihre Beziehung zu Ihrem Mann?", fragte ich.

Sie sah mich verwirrt an.

„Ich wüsste nicht, inwiefern dies von Bedeutung für die Aufklärung des Falls ist."

„Das ist insofern von Bedeutung –", ich setzte meine freundlichste Miene auf, „als dass es Ihr Mann ist, der tot ist, und Sie die letzte Person sind, die mit ihm zusammen gewesen ist, bevor er getötet wurde."

Diese Antwort schien ihr überhaupt nicht zu gefallen. Sie verzog ärgerlich die Stirn und sah mich abfällig an.

„Wollen Sie damit implizieren, dass ich ihn getötet haben soll?", sie schürzte die Lippen.

„Ich wollte damit gar nichts implizieren. Ich wollte lediglich ausdrücken, dass Sie von großer Bedeutung bei der Klärung des Falls sein können, da Sie Ihren Mann kurz vor seinem Tod noch gesehen haben.", entgegnete ich ruhig.

Sie schnaufte und entspannte sich ein wenig.

„Die Beziehung mit meinem Mann war gut. Wir haben uns geliebt. Sonst hätten wir schließlich nicht geheiratet und vier Kinder aufgezogen."

Florence war gerade zweieinhalb. Von aufgezogen konnte man da schlecht reden. Außerdem schien ja Ms. Ali diesen Job für sie zu machen.

„Und wie haben Sie dann vor Ihrem Mann die Affäre mit Dr. Martins rechtfertigen können?", fragte ich gewollt provokant.

Mrs. Richardson zuckte zusammen und sah mich zornig an. Unwillkürlich rutschte ich weiter das Sofa hinauf.

„Wie kommen Sie auf so etwas? Wie können Sie sich anmaßen, so etwas zu behaupten? Mit welcher Begründung –", ihre Hände fuchtelten wild durch die Luft.

„Wir wissen, was zwischen Ihnen und Dr. Martins vorgefallen ist. Wir haben bereits mit ihm gesprochen und er hat sich im Angesicht des Mordes an Ihrem Mann hilfsbereit dazu erklärt, uns die ganze Wahrheit zu erzählen.", erwiderte ich und nickte. Mein Puls war beunruhigend schnell. Normalerweise führte der Chef solche Gespräche. Oder diskutierte mit Verdächtigen. Klar, ich hatte das auch schon getan. Aber jedes Mal war man doch froh, wenn man so einer Begegnung aus dem Weg gehen konnte.

Verzweifelt sah Mrs. Richardson durch den Raum und beruhigte ihre Hände. Wieder schürzte sie ihre Lippen und presste sie schließlich so kräftig aufeinander, dass sie zu einem dünnen Strich wurden.

„Hat er das.", sagte sie leise. Ich konnte sehen, dass sie unter ihrer Bluse Schwierigkeiten hatte, ihre Atmung ruhig zu halten.

Ich sagte nichts und verblieb freundlich lächelnd. Johnson sah von mir zu Davis und runzelte die Stirn. Ich hätte gerne gewusst, was er über meine Ermittlungsleistung dachte. Sobald er den Mund aufmachte, kam sonst nämlich nur arroganter Mist und spottendes Gekotze heraus.

„Also gut.", Richardson seufzte, „Martins und ich hatten…eine Art Beziehung. Es war ja nicht viel. Ich weiß auch nicht, warum William und er da so viel Wirbel darum gemacht haben…war ja nur ein wenig intimes Vergnügen."

Ihr Gesichtsausdruck veränderte sich nicht. Säuerlich wartete sie auf meine Reaktion.

„Weshalb ist es denn erst zu dieser Art Beziehung gekommen?", fragte ich, „Sie sagten ja, Sie und Ihr Mann liebten sich."

Sie zuckte mit den Schultern und schlug die Beine übereinander.

„Es ist passiert. Dr. Martins und ich haben uns eine kleine Auszeit genommen. Von der Ehe, wissen Sie. Manchmal muss man über die persönlichen Grenzen hinausgehen. Das ist nichts Besonderes. Vielen Menschen geht es so. Sie fühlen sich von der eigenen Beziehung eingeengt oder ausgebremst. Oder begehren etwas anderes.", sie verzog ihr Gesicht zu einem schwachen Lächeln, „Da möchte nicht jeder gleich das ganze Leben auf den Kopf stellen. Ich habe einen Mann, Kinder, einen Status. Eine Scheidung wäre nur unnötiger Papierkram gewesen. Ich liebe – liebte meinen Mann. Hugo habe ich nie geliebt. Ich habe nur gesehen, dass es ihm ähnlich ging wie mir. Er brauchte auch etwas...Abwechslung.“

„Wie ging es Ihnen denn?“, ich klickte meinen Kugelschreiber.

„William und ich waren an einem Punkt in unserer Ehe angekommen, an dem jeder mehr für sich lebte als wir beide zusammen. Wir haben angefangen, uns für andere Dinge zu interessieren. Er konzentrierte sich auf seine Arbeit. Ich mich auf meine geistige Weiterbildung.“, sie sah von mir weg und aus dem Fenster.

„Also haben Sie Ihren Mann betrogen, weil in der Ehe kein Platz mehr für Intimes war?“, hakte ich nach.

„So ist es. Nicht weil ich einen anderen Mann geliebt habe oder William weniger geliebt habe als vor dreißig Jahren.“, sie nickte.

Ich kritzelte etwas enttäuscht in meinen Notizblock. Ich hatte gehofft, irgendwo zwischen Affäre und Stolz der Gattin ein Motiv zu finden. Jetzt war ich keinen Schritt weiter. Weder Dr. Martins noch Mrs. Richardson waren besonders verdächtig. Eigentlich hatten wir bisher nichts erreicht, außer alte Geschichte wieder heraus zu kramen und Leuten ihre schmutzigen Geheimnisse abzuringen. Produktive Polizeiarbeit war das nicht.

„War's das? Ich würde gerne weiterlesen.“, sie wies auf ein Buch auf dem Beistelltischchen.

Johnson wollte schon aufstehen, aber ich legte liebevoll meine Hand auf sein Knie.

„Eine Sache wäre da noch. Mir ist aufgefallen, dass niemand in diesem Haus mitbekommen hat, wie Ihr Mann das Haus verlassen hat. Niemand. Sie waren alle vorher im Bett. Die meisten schliefen zur Tatzeit schon. Außer Sie. Bevor Sie mir vorwerfen, ich würde etwas implizieren, möchte ich, dass Sie noch einmal genau nachdenken. Versetzen Sie sich zurück. Was ist vorgestern Abend geschehen? Wovon hat Ihr Mann geredet? Hat er irgendein Thema gemieden? Etwas Bestimmtes getan, dass er sonst nicht tat? Ich möchte es ganz genau wissen."

Als ich das sagte, war ich mir zu Hundertprozent bewusst, dass alle drei Anwesenden das gleiche dachten, nämlich dass genau diese Fragen schon Clarke gestellt hatte, als er gestern hier gewesen war. Trotzdem stellte ich sie noch einmal. Manchmal überraschte uns das Gehirn mit ungewöhnlichen Gedächtnisleistungen, mit unerwarteten Erinnerungen. Mit kleinen Details, die erst bei mehrfacher Überlegung auffielen.

„Wozu das? Ich habe –"

„Bitte, erinnern Sie sich.", ich lächelte.

„Von mir aus…", sie verdrehte gekonnt die Augen, „Gestern kam William um halb sieben nach Hause. Er setzte sich in sein Arbeitszimmer und kam erst wieder zum Essen raus. Wir haben uns nur kurz unterhalten. Er hat mir von seinem Golfspiel berichtet und erzählt die Arbeit wäre stressig. Während des Essens hat er die Kinder gefragt, wie die Schule war und ob sie mit den Hausaufgaben zurechtkommen. Das hat er immer gemacht. Nach dem Essen haben wir uns hier hergesetzt. Wir haben beide gelesen. Er hat gesagt, er müsse noch etwas für die Arbeit vorbereiten und ist gegangen. Als ich ins Bett gegangen bin, war er noch immer im Arbeitszimmer. Bitte schön."

Ich nickte nachdenklich. Genau das hatte sie auch schon dem Inspektor erzählt. Sie hatte es zwar wesentlich länger und emotionaler erzählt als jetzt – Schuld war der Schock – aber trotzdem gab es keine groben Abweichungen. Besser gesagt gar keine.

„Was, glauben Sie, hat Ihr Mann in seinem Arbeitszimmer getan? Haben Sie irgendetwas mitbekommen oder hat er irgendetwas erwähnt?", fragte ich.

Johnson wollte schon meine Hand von seinem Knie schieben, um aufzustehen, aber ich legte meine andere Hand auf seine Hand und bedeutete ihm abzuwarten. Ein Mann Anfang Mitte 50 fällt eben nicht einfach so tot um. Und wenn doch, hätte Dr. Franklin irgendeine Krankheit festgestellt und nicht drei Einstiche in der Brust.

„Wie ich letztes Mal schon sagte, habe ich nichts gehört. Er hat auch nichts erwähnt. Nicht mehr, als dass er etwas für die Arbeit vorbereiten musste.", sagte Mrs. Richardson nun genervt.

Ich ließ Johnson meine Hände abschütteln und seufzte.

„Dann vielen Dank, Mrs. Richardson. Wir hätten vorerst keine weiteren Fragen mehr.", ich erhob mich zeitgleich mit Johnson, „Aber ich würde gerne noch einmal mit Ihren Angestellten sprechen."

Mrs. Richardsons Lippen umspielte ein kurzes, künstliches Lächeln. Sie nickte und griff nach ihrem Buch.

„Nur zu."

Im Gänsemarsch verließen wir das Kaminzimmer und sammelten uns im Flur. Besser gesagt versammelten sich meine beiden Kollegen um mich und starrten mich eindringlich an.

„Tolle Vorstellung.", meinte Johnson brummend, „Wolltest du dich extra albern machen oder was war dein Plan?"

Ich verzog ärgerlich das Gesicht und machte eine Bewegung wie als wollte ich eine Mücke loswerden.

„Die Fragen hat der Chef schon alle gestellt.", sagte Davis verwirrt.

Ich zuckte mit den Schultern und zog mein Handy hervor.

„Weiß ich ja. Ich dachte nur, jetzt da sie weiß, dass wir von der Affäre wissen, wäre vielleicht etwas neues in ihrem Kopf, das ihr gestern nicht wichtig erschien oder so.", ich seufzte, „Ach, ich weiß auch nicht."

„Und was machen wir jetzt? Wir können dem Chef nicht einfach nichts erzählen. Schließlich hat er uns nicht umsonst losgeschickt.", erwiderte Johnson.

„Hat sie denn irgendetwas Neues zu diesem Shaw gesagt?", fragte ich niedergeschlagen ein Landschaftsgemälde betrachtend.

„Nein. Sie hat nur bestätigt, was wir schon wissen. Das mit dem Streit und der Schlägerei."

„Und konnte sie etwas zu den Videos sagen?"

„Sie kennt den Mann nicht."

Ich nickte bitter. Warum sollte es auch mal einfach sein?

„Und was machen wir jetzt?", wiederholte mein Kollege. Ich fühlte mich fast wie eine Mutter mit einem ungeduldigen Kind.

„Ich werde den Chef anrufen und danach befrage ich noch die Angestellten.", sagte ich und tippte auf mein Handy.

„Mach das, aber lass nicht aus, dass du seine Fragen noch mal gestellt hast. Gefällt ihm bestimmt, dass du ihm so wenig vertraust.", meinte Johnson.

Ich beachtete ihn nicht weiter und ging einige Schritte den Flur entlang. Vor der Küche blieb ich stehen. Stirnrunzelnd klopfte ich.

Davis und Johnson unterhielten sich schon über etwas anderes und bekamen nicht mit, wohin ich ging.

„Gibt es Neuigkeiten? Kommen Sie voran?", fragte Mrs. Cooper, die zusammen mit Ms. Harris am Herd stand. Einige Küchenutensilien und Zutaten lagen herum.

„Hm. Dürfte ich hier kurz telefonieren?", entgegnete ich.

„Klar, sollen wir so lange gehen?", Ms. Harris zuckte schon in Richtung Tür.

Ich winkte ab.

„Nicht nötig."

Kapitel 10 – Glückliche Augenblicke eingefangen auf rechteckigen Papieren

Nach einem kurzen Gespräch mit dem Chef, der überraschender Weise beim ersten Versuch geantwortet hatte, bat ich bei Mrs. Cooper um einen Tee.

Clarke und Klein hatten sich in der Firma von Richardson noch einmal umgehört. Die Geschichte mit Shaw war tatsächlich den meisten bekannt. Genaueres wusste aber auch niemand. Shaw war anscheinend ein paar Mal nach dem Vorfall bei Richardson im Büro aufgetaucht und wollte mit ihm sprechen. Soweit dies von außen zu hören gewesen war, hatte es keine wütenden oder gewalttätigen Auseinandersetzungen gegeben. Zum Nachmittag vor der schicksalsträchtigen Nacht konnten nur wenige etwas sagen. Richardson war, wie wir schon vom ersten Besuch dort wussten, am Nachmittag zwischen halb drei und halb vier gegangen. Bei der genauen Uhrzeit gingen die Meinungen auseinander. Zurrick schob das auf Richardsons Angewohnheit, noch in den Büros einiger Mitarbeiter zu verweilen, bevor er endgültig ging. Fakt war, dass Richardsons Wagen um halb vier nicht mehr auf dem Firmenparkplatz gestanden hatte. Einen einzigen Hinweis hatten Klein und der Inspektor bekommen. Die Sekretärin hatte ein Telefongespräch mit angehört. Darin hätte es geheißen, Richardson müsste sich beeilen, zu einem Treffen zu kommen, weil er nicht zu spät zum Essen kommen wollte.

Der Anruf war auch schon zurückverfolgt worden und von einem gewissen Henry Link, Privatdetektiv, ausgegangen.

Während ich meinen Tee schlürfte, erzählte ich Davis und Johnson von dem Anruf. Ich gab auch Clarkes Anweisungen weiter und bat Ms. Harris, den Kindern und Ms. Ali Bescheid zu geben, dass ich sie sprechen wollte.

Danach fuhr Johnson davon, weil er sich Henry Link anschauen sollte. Davis und ich machten uns auf in den ersten Stock, wo unter anderem die Kinder ihre Zimmer hatten.

In Begleitung von Ms. Ali sprachen wir erst mit Isaac, dann mit Harrison.

Isaac konnte uns nicht weiterhelfen. Seine Informationen waren genau die gleichen wie die, die wir schon hatten. Von Harrison hingegen versprach ich mir mehr. Er war immerhin einer der Gründe, warum Mr. Bailey entlassen worden war. Vielleicht hatte er interessante Dinge zu erzählen.

Ich fragte ihn nach Bailey.

„Der? Das Schwein hat doch mit Schülern rumgemacht! Was soll es über den schon zu erzählen geben? Der ist ekelhaft. Am besten man sperrt ihn weg.", entgegnete Harrison wütend eine abwinkende Handbewegung machend.

Ms. Ali sah überrascht von uns zu ihm und zurück.

„Weißt du, was mit ihm passiert ist, nachdem er die Schule verlassen hat?", ich kratzte mich am Kinn.

„Na, die haben ihm irgendeine Stelle gegeben und eine neue Wohnung verschafft und so. Was sie immer machen – die Kinderschänder kommen frei und denen wird sogar noch alles hinterher geworfen. Als ob sie Kriegshelden sind oder so.", er spukte seine Worte fast aus.

Ms. Ali hob eine Braue und sah mich fragend an.

„Hast du in letzter Zeit etwas von ihm gehört? Hat vielleicht dein Vater von ihm erzählt? Oder gab es wieder Gerüchte?", ich hielt meinen Blick auf dem Jungen.

„Mein Vater? Meinen Sie, das Schwein hat meinen Vater umgebracht?! Das Miststück. Sagen Sie ihm, wenn Sie ihn verhaften, dass ich ihn in der Hölle besuchen komme!"

Ms. Ali zuckte unwillkürlich zurück. Auch ich rutschte etwas weiter weg von dem zornigen Jungen.

„Nein, das meine ich nicht. Mr. Bailey ist in keiner Weise verdächtig. Ich möchte nur wissen, ob dein Vater von ihm geredet hat.", sagte ich.

„Hm.", Harrison rümpfte die Nase und verschränkte die Arme, „Aber er hätte es gut sein können…also bei dem, was man gehört hat."

„Hat dein Vater vor seinem Tod von Mr. Bailey gesprochen?"

„Er hat ihn mal erwähnt. Vor ein paar Tagen. Aber er wollte nur wissen, warum ihn alle so gehasst haben. Als hätte ich ihm das nicht schon vorher zehn Mal erzählt.", Harrison ließ seinen PlayStation-Controller los und nahm einen Schluck aus einer Coladose.

„Vor wie vielen Tagen genau?", fragte ich und ein Schimmer Hoffnung kam in mir auf.

„Keine Ahnung. Letzte Woche vielleicht oder am Wochenende, weiß ich nicht genau.", er zuckte mit den Schultern.

„Und wie war dein Vater am Tag seines Todes drauf? Ist dir da irgendetwas aufgefallen? Vielleicht nicht unbedingt bei oder nach dem Essen, auch davor. Als er nach Hause gekommen ist.", auch dieses Mal war mir bewusst, dass diese Frage in ähnlicher Form schon Clarke in seiner Befragung verwendet hatte. Ich wollte nur gründlich sein. Doppelt hält besser.

„Nein, ich habe ihn kaum gesehen. Beim Essen war er wie sonst auch. Also –“, Harrison lehnte sich auf seiner Couch zurück und sah die Decke an, „Als er nach Hause gekommen ist, war er irgendwie...gestresst, aber das war er eigentlich immer. Also daran ist nichts besonders. Wenn auf der Arbeit irgendetwas nicht passt, war er immer so...“

Er fuhr sich mit der Hand über das Gesicht.

„Weißt du, was auf der Arbeit nicht gepasst haben könnte? Sein Partner sagte uns, dass alles lief wie immer.“, fragte ich.

Er sah zum Fenster und zum Fernseher, wo der Bildschirmschoner eine Fahrradstrecke mitten im Wald zeigte, auf der ein Junge (Harrison) in Schutzklamotten über eine Rampe sprang, und dann zu uns.

„Keine Ahnung. Wirklich. Paps hat eigentlich nie über die Arbeit gesprochen. Und mit mir sowieso nicht. Ich habe mich auch nie für seine Arbeit interessiert.“, sagte er seufzend.

„Okay und hast du eine Ahnung, was er in seinem Arbeitszimmer gemacht haben könnte? Da war er zuletzt, bevor er starb.“, ich tat mich schwer, diesen Jungen immer wieder daran zu erinnern, dass er nun Halbweise war.

„Gearbeitet, schätze ich mal. Oder sich ausgeruht oder so. Vielleicht hat er auch ferngesehen oder so, aber das weiß ich nicht. Da müssen Sie Abbi fragen, die weiß so was eher. Ihr Zimmer ist direkt neben dem Arbeitszimmer.“, er lehnte sich wieder nach vorne und nahm den Controller in die Hand. Mit einem Klicken verschwand der Bildschirmschoner und der Startbildschirm eines Egoshooters erschien.

„Eine Sache noch – hast du in der Nacht irgendetwas gehört? Eine Tür oder knarzende Bodendielen? Oder Stimmen – irgendetwas?“

„Nein. Ich habe Kopfhörer aufgehabt. Ich habe nicht mal gehört, dass Florence einmal aufgewacht ist.", er schüttelte entschuldigend den Kopf.

„Gut, trotzdem vielen Dank. Falls dir doch noch etwas einfällt, sag uns bitte Bescheid. Jedes Detail könnte wichtig sein.", erwiderte ich und stand auf.

„Mache ich.", er nickte und drückte einen Knopf auf seinem Controller. Ein Ladebildschirm erschien.

„Auf Wiedersehen.", wir verabschiedeten uns und gingen auf den Flur.

Ich wartete, bis die Tür zu Harrisons Zimmer geschlossen war und wandte mich an Ms. Ali.

„Eine kleine Frage hätte ich noch.", ich runzelte die Stirn.

„Ja?", sie wirkte überrascht.

„Wissen Sie, wann Harrison ins Bett gegangen ist? Sie haben so gute Ohren. Er sagte, er hätte Kopfhörer aufgehabt. Mit denen schläft er ja nicht, oder?"

„Ich glaube nicht, nein. Aber genau könnte ich es nicht sagen.", sie überlegte, „Aber wann er ins Bett gegangen ist, weiß ich nicht. Unsere Zimmer sind recht weit auseinander. Da müssen Sie ihn selbst fragen."

„Dann machen wir das doch.", ich nickte und öffnete Harrisons Tür.

Verwirrt sah er mich an. Seine Augen waren wässrig. Das Spiel hatte er nicht gestartet, der Controller lag auf dem Boden.

„Tut mir leid, dich noch einmal zu stören. Ich wollte nur noch mal nachfragen, wann du ins Bett gegangen bist. Nur der Vollständigkeit halber.", ich lächelte freundlich.

„So gegen halb zwölf oder so. Kann auch ein bisschen später gewesen sein.", er wischte sich über das Gesicht.

„Danke. Das war's schon.", ich hob eine Hand zum Gruß und schloss die Tür wieder.

Davis sah mich neugierig an. Ms. Ali stand schon vor Abbigails Zimmertür.

„Sie können jetzt wieder Ihren Tätigkeiten nachgehen, Ms. Ali. Danke, dass Sie uns geholfen haben.", sagte ich und wies den Gang hinunter.

„Und was ist mit Abbigail?", fragte sie verwirrt.

„Die ist schon 18. Sie braucht Ihren Beistand nicht.", ich ging auf die Tür zu.

„Stimmt.", Ms. Ali nickte und trat einige Schritte zurück.

„Danke.", ich lächelte.

Mit einem weiteren Nicken drehte sie sich um und ging in Richtung Treppe davon.

„Warum hast du _sie_ gefragt, wann Harrison ins Bett gegangen ist? Du hättest ihn doch gleich fragen können.", meinte sie.

„Ja stimmt. Ich wollte sie testen. Besser gesagt, ihr Hörvermögen. Wenn sie so gut hören kann, dass sich Mr. und Mrs. Richardson nur wenig unterhalten haben, hätte es sein können, dass sie hier hinten auch etwas mitbekommt.", sagte ich und zuckte mit den Schultern, „Da das nicht der Fall ist, wird auch sie nicht gekommen sein, um sich um Florence zu kümmern, dessen Zimmer hier gegenüber von Richardsons Büro ist."

„Also muss jemand anderes aufgestanden sein und sich um sie gekümmert haben. Schließlich scheint irgendjemand davon erzählt haben, sonst wüsste Harrison nichts davon.", Davis sah mich grübelnd an, „Trotzdem könnten wir doch einfach fragen, wer sich um die Kleine gekümmert hat. Und nicht wie Hobbydetektive herumrätseln."

Sie hatte nicht Unrecht, aber mein Bauch sagte mir etwas anderes. Irgendwie war das der richtige Weg. Wenn sie Clarke davon erzählen würde, würde er mich sofort in die Psychatrische einweisen, weil ich meine Ausbildung so unbeachtet ließ. Zum Glück konnte ich mich auf Davis verlassen. Hoffte ich zumindest.

Ich kratzte mich am Kinn. Langsam könnte ich mich wieder rasieren. Die wenigen Stoppeln wurden langsam störend.

„Aber ich glaube…", begann ich, „dass der- oder diejenige einen Grund hatte, uns nichts davon zu erzählen, dass Florence aufgewacht ist und man sich um sie gekümmert hat. Und dieser Grund…"

Ich kam mir vor wie einer dieser superintelligenten Typen aus dem Fernsehen, die den Fall immer auf ihre eigene seltsame Art lösen. Deshalb brach ich ab und klopfte an die Tür von Abbigails Zimmer.

„Was ist nun? Die Inspiration verloren?", fragte Davis belustigt.

„Herein.", war aus dem Zimmer zu hören.

„Halt den Mund.", flüsterte ich verärgert und trat ein.

Ihr Zimmer war denen ihrer Brüder in keiner Hinsicht ähnlich. Statt Fernseher und PS4, einem großen Rechner und kahlen Wänden fanden wir einen bunten Raum vor. Es gab zwar auch einen Fernseher, aber keine Spielekonsolen und auch keine übermäßig teuren Computer, dafür schimmerten und glitzerten die Wände in bunten Farben. In Pastelltönen und Regenbogenfarben, in grellen und dunklen Farben. Es handelte sich um Bilder. Gedruckte Bilder, Fotos, selbstgemalte Bilder, Poster mit Landschaften, Leinwände und Aquarelle.

Sie selbst saß an ihrem Schreibtisch. Vor ihr lag eine Fotokollage, unfertig, aber schon von Weitem war zu erkennen, für wen sie war.

„Guten Tag.", sagte Abbigail angespannt, aber in lässiger Haltung.

„Guten Tag, Abbigail. Wir hätten noch ein paar Fragen an dich. Wenn das für dich okay wäre, würden wir das gerne unter uns besprechen, ohne dass Ms. Ali oder deine Mutter dabei sind.", begrüßte ich sie und ich ließ es mir nicht nehmen, einen staunenden Blick auf ein paar der Bilder zu werfen.

„Ist in Ordnung.", erwiderte sie, „Setzen Sie sich."

Sie wies auf ein gemütlich aussehendes Sofa in der Ecke vor dem Fenster. Davis und ich setzten uns, während sie ihren Schreibtischstuhl so hinschob, dass wir uns gegenüber saßen.

„Was kann ich für Sie tun?", ihr Gesicht war schlaff und müde. Es war unnötig zu sagen, dass sie aussah als hätte sie geweint.

„Wir haben einige Fragen zu dem Abend.", sagte ich und holte meinen Notizblock hervor.

„Ich habe doch schon alles ihrem Kollegen erzählt.", in ihrer Stimme lag im Gegensatz zu ihrer Mutter kein Vorwurf, sondern eine ehrliche Bemerkung.

„Stimmt, aber wir haben einige neue Informationen erhalten. Da wollen wir alles noch einmal überprüfen.", meinte ich.

„Okay.", sie gab sich ruhig, aber in ihrer Stimme lag ein schwaches, leises Zittern.

„Weißt du ungefähr, wann dein Vater in sein Arbeitszimmer gegangen ist?"

Sie wischte eine Strähne aus ihrem Gesicht und überlegte.

„Viertel vor elf oder so."

„Und konntest du mit anhören, was er da getan hat?", fragte ich.

„Nein, nicht wirklich. Ich habe nicht darauf geachtet. Ich habe Musik gehört und gelesen. Da bekomme ich nicht so mit, was um mich herum passiert.", antwortete sie.

„Hast du vorher etwas mitbekommen? Vor dem Essen. Da war er auch im Arbeitszimmer."

„Auch nicht viel. Ich weiß, dass er telefoniert hat, aber mehr auch nicht.", sie zuckte mit den Schultern.

„Wann war das ungefähr?", hakte ich nach.

„Keine Ahnung, irgendwann vor dem Essen...", sie ließ den Kopf sinken.

„Okay, danke. Wenn das für dich zu viel ist, können wir erstmal wieder gehen. Ich verstehe, dass –"

Sie schüttelte energisch den Kopf und richtete sich in ihrem Stuhl auf.

„Nein, nein. Schon gut. Ich...", sie sah aus als müsste sie niesen, „muss nur tief durchatmen."

„Gut, dann.", ich räusperte mich verlegen, weil ich nicht gerade der beste Seelsorger war, „Weißt du, wann Florence ungefähr aufgewacht ist?"

„Florence? Sie schläft eigentlich nie wirklich. Aber sie meinen, dass sie Theater gemacht hat?", sie erwartete keine Antwort, „Das war ungefähr um Mitternacht. Plus minus fünf Minuten."

Ich nickte. Das war genau die Zeit, zu der der vermeintliche Mörder auf dem Grundstück gewesen war und zu der Mrs. Richardson ins Bett gegangen war.

„Hast du dich um sie gekümmert?", fragte ich.

Sie seufzte und zögerte. Ihr Blick wanderte unsicher über meinen Kopf hinweg.

„Ja."

„Ist dir da etwas aufgefallen?"

Wieder zögerte sie. Nur wenige Wimpernschläge, aber es reicht aus, um verdächtig zu wirken.

„Nein...", sie sah mir in die Augen.

Ein schwer zu deutender Ausdruck zeichnete sich auf ihrem jungen Gesicht ab. Es sah aus wie eine Mischung aus Besorgnis, Trauer und misstrauischem Kalkül. Das gefiel mir nicht.

Nicht weil ich den Mörder nicht finden wollte, sondern weil ich nicht wollte, dass ein achtzehnjähriges Mädchen für den Tod ihres Vaters verantwortlich war. Mit einem unangenehmen Gefühl in der Magengegend blickte ich auf meinen Notizblock. Eigentlich hätte ich jetzt weiter stochern müssen. Bei einem erwachsenen Mann, der sein Leben schon zur Hälfte hinter sich hatte, wäre das auch kein Problem gewesen – aber bei einem jungen Mädchen kurz vor dem Schulabschluss?

„Steht in Florences Zimmer immer noch ein Babyphone?", fragte Davis.

Abbigail schien überrascht. Sie sah abwechselnd zu Davis und zu mir.

„Wie? Woher –", sie wischte sich über die Augen, „Also ja, aber warum?"

„Wir haben mit Dr. Martins gesprochen.", erwiderte meine Kollegin.

„Ach so.", sie nickte, „Ja, das steht noch da. Wollen Sie es sich ansehen?"

Sie rechnete schon mit einem Ja und stand auf, mit dem Blick zur Tür.

„Ja, bitte.", sagte Davis.

Wir standen auf. Mein Blick war bitter auf die unfertige Fotokollage von Mr. Richardson gerichtet.

„Was hast du denn?", zischte meine Kollegin besorgt.

Ich riss den Blick von den glücklichen Augenblicken eingefangen auf rechteckigen Papieren und ging auf den Flur.

„Was, wenn wir sie verhaften müssen?", fragte ich leise.

Davis sah mich stirnrunzelnd an. Ich konnte nicht sagen, ob sie mich bemitleidete oder verärgert war.

„Hier ist es.", Abbigail hielt das Babyphone in der Hand.

Ich nahm es entgegen und tippte auf den Knöpfen herum. Es musste erst hochfahren.

„Tagsüber ist es aus. Emily macht es an, wenn sie Florence ins Bett bringt.", bemerkte das Mädchen.

Ich wartete, bis der Bildschirm hell leuchtete und ich mehrere Optionen vor mir sah.

„Kann ich mir hier drauf auch die Aufnahmen ansehen?"

„Ja, da müssen Sie nur auf Play drücken. Dann öffnet sich der Speicher automatisch.", Abbigail drückte den Knopf für mich.

Auf dem Video war lange Zeit nur Florence zu sehen. Sie lag unruhig in ihrem Bett und wälzte sich hin und her. Ab und zu richtete sie sich auf. Mal lag sie für mehrere Minuten still da und ihr Brustkorb hob und senkte sich gleichmäßig. Dann schob sie wieder die Decke von sich und starrte Löcher in die Luft.

Laut Zeitanzeige um 0:03 begann das Mädchen zu rufen und zu schreien. Ich ließ den Schnelldurchlauf-Knopf los und beugte mich tiefer über den kleinen Bildschirm. Fast eine Minute später öffnete sich die Tür. Das Licht vom Flur bestrahlte das Bett und das Gesicht von Florence. Abbigail kam barfuß und in gepunkteten Pyjamas an und nahm ihre Schwester in den Arm. Leise war das Wispern der beiden Schwestern zu hören. Ansonsten schien es im Haus – in der Reichweite des Babyphones – ruhig zu sein.

Um 0:07 war ein dumpfer, recht leiser Knall zu hören, als hätte jemand in Badelatschen auf einen dicken, flauschigen Teppich gestampft. Abbigail-in-dem-Video hielt inne und blickte zur Tür. Dann sprang sie auf und schloss die Tür wieder, bevor sie sich erneut zu ihrer kleinen Schwester setzte. Ich spitzte die Ohren und lehnte mich über das Gerät, bis mein Ohr beinahe den Lautsprecher berührte. Außer dem leisen Flüstern, das vom Bett kam, konnte ich beim besten Willen nichts heraushören. Es blieb still. Ich wartete noch einige Minuten, aber dann zeigte die Uhr auf dem Display 0:12 an und ich war mir zu Hundertprozent sicher, dass niemand, egal wie schnell er rannte, von hier oben in drei Minuten bis zum Tor kam.

Ich sah Abbigail an. Sie blickte, beide Hände vor dem Mund, auf das Babyphone. Ihr Gesicht verriet, dass sie nicht wollte, dass wir dieses Video gesehen hatten. Langsam stellte ich das Gerät zurück an seinen Platz auf einem Regal mit Familienfotos und wies zur Tür.

„Lasst uns wieder in dein Zimmer gehen.", ich machte einen Schritt auf die junge Erwachsene zu, aber sie nickte stumm und ging voran.

„Ich glaube nicht –", Davis sah mir in die Augen.

„Sie hat uns etwas verschwiegen, das macht sie verdächtig, unweigerlich.", ich schüttelte den Kopf.

Mit versteinerter Miene setzte ich mich wieder auf das Sofa in Abbigails Zimmer. Davis wirkte ernst. Abbigail saß jetzt noch angespannter als vorher auf ihrem Stuhl.

„Magst du uns erzählen, warum du die Tür auf dem Video geschlossen hast und warum du uns vorher nichts davon erzählt hast?", fragte ich bemüht tonlos.

Sie verzog das Gesicht zu einem unsicheren Lächeln und fuhr sich mit der Hand durch die Haare.

„Ich – ", sie stockte und sah zu Boden, „Ich…äh…ich wollte…nicht –"

Sie ließ die Schultern sinken und vergrub das Gesicht in den Händen. Ein Schluchzer drang zwischen ihren Fingern hindurch.

„Ich wollte nicht, dass man denkt –", sie holte zitternd Luft, „ich hätte etwas damit zu tun. Ich wollte einfach nicht…nicht verantwortlich…dafür sein."

Davis beugte sich vor. Zögernd legte sie eine Hand auf Abbigails Schulter.

„Aber wenn du von Anfang an erzählt hättest, dass du etwas gehört hast, dann hätte niemand gedacht, dass du etwas damit zu tun hast. Das ist ein wichtiger Hinweis. Vielleicht sogar der wichtigste.", sie sah mich fragend an, „Erzähl uns, was du gesehen oder gehört hast."

Abbigail setzte sich schluchzend auf. Ihre Wangen waren nass und ihr Blick war wässrig. Ihre Atmung war abgehackt und von kurzen Seehundtönen unterbrochen.

„Ich, ich, ich –", ein Jammern, „Ich, ich bin aber verantwortlich…ich habe –", sie schluckte, „Wenn ich nicht…wenn ich etwas getan hätte, dann…dann wäre er vielleicht noch…"

Sie brach ab und ließ ein ersticktes Weinen erklingen. Davis legte ihren ganzen Arm um ihre Schulter.

„Aber das konntest du nicht wissen. Du konntest nicht wissen, was passiert. Du brauchst dir keine Vorwürfe machen. Wir werden den Verantwortlichen finden und er wird seine gerechte Strafe bekommen. Dich trifft keine Schuld.", sagte meine Kollegin langsam den Rücken des Mädchens streichelnd.

„Sollen wir deine Mutter holen? Dann lassen wir dich erstmal in Ruhe. Das ist eine schwierige Situation.", meinte ich unsicher und wollte schon aufstehen.

„Nein, nein. Bloß nicht.", fuhr sie dazwischen, „Emily, aber nicht Mama. Nein, auf gar keinen Fall. Dann muss ich mir noch anhören, dass ich nicht so weinerlich sein soll."

Energisch schüttelte sie den Kopf, während Schmerz und Trauer ihre Gesichtszüge verzerrten und Tränen ihr die Wange hinunterliefen. Es war ein seltsamer Anblick. Ihr Körper wurde durch unregelmäßiges Zittern und atemloses Jammern geschüttelt und Davis versuchte mit möglichst viel professionellem Abstand sie zu beruhigen.

Als ich auf dem Flur war und nach Ms. Ali suchte, war mir schlecht. Das war der Teil an meinem Job, den ich hasste. Die Reaktion der am Boden zerstörten Angehörigen. Ich mochte es, dem Mörder nach zu jagen, die Hinweise nach und nach zu einem größeren Bild zu verdichten, Verdächtige nach Alibis zu fragen, aber ich konnte die trauernden Angehörigen nicht ab. Nicht, weil ich trauende Angehörige nicht mochte oder das Trauern generell verabscheute, nein. Sondern weil mein Job da persönlich wurde. Da berührte es mich persönlich. Der Schmerz, der Verlust war nicht einfach nur irgendein Kratzer, über den man ein Pflaster kleben konnte und alles war gut. Es war ein tiefer Schnitt. Eine tiefe, blutende Wunde, die nicht von hundert Pflastern geschlossen werden konnte. Eine Wunde, die nie richtig verheilen würde.

Kapitel 11 – Eine tiefe, blutende Wunde

Ms. Ali – und ich auch – war der Meinung, dass es besser wäre, Abbigail eine Auszeit zu geben und später mit der Befragung fortzufahren. Deshalb fuhren Davis und ich, um endlich etwas zu essen. Es war schon lange nach Mittag und mein Magen sehnte sich nach etwas anderem als Tee und Kaffee.

Eigentlich hatte ich vorgehabt, in der Nähe einen Pub aufzusuchen, aber nach einem Anruf beim Chef war ich befugt, uns nach Hause in die Zentrale zu fahren. Auf dem Weg dahin rief ich Alice an. Ich wollte mich anbieten, sie abzuholen, weil ich sie auch hingefahren hatte. Sie hatte aber andere Pläne und war mit ihrer Freundin Cathy nach getaner Arbeit mit dem Zug shoppen gefahren. Ein bisschen war ich auch froh darüber, weil ein Abstecher nach Caythorne einen riesigen Umweg bedeutet hätte.

In der Zentrale waren wir allein. Weder Johnson noch Klein oder der Chef oder sonst jemand war hier. Clarke war auf dem Weg zu einer privaten Verabredung. Johnson war noch immer auf der Suche nach Henry Link, der sich als ziemlich gewitztes Dorn im Auge des Gesetzes herausgestellt hatte (mehrere Näherungsverbote, Diebstahl und illegaler Drogenbesitz). Nachdem Johnson ihn aufgespürt hatte – die Adresse beim Einwohnermeldeamt war eine Dönerbude – war er mit einem Taxi geflüchtet und nun einer der Hauptverdächtigen. Aufgrund dieser neuen Entwicklung hatte der Chef beordert, dass auch Klein nach dem Privatdetektiv suchen sollte. Er sollte sich um die Kameras von öffentlichen Gebäuden und Zügen kümmern. Manchmal konnte man da sogar schnell Hinweise bekommen. Manchmal.

Weil in der Zentrale keiner war, fuhr ich uns zur Fußgängerzone, wo wir uns einen Schnellimbiss aussuchen wollten. Am

Ende wurde es doch ein Pub. Wir hatten keine Lust gehabt bei dem kalten Wind und der nassen Luft draußen zu stehen. Und ich wollte ein Bier.

Es war einer dieser Momente, in denen man lieber nach Hause gegangen wäre, den Rest des Tages ferngesehen oder geschlafen hätte und schon überhaupt gar nicht an die Arbeit denken wollte. Aber ich konnte nicht nach Hause. Ich hatte einen Mord aufzuklären.

„Woran denkst du?"

Ich sah von meinem Backfisch auf.

„Du wirkst so ruhig."

„Tue ich das nicht immer?", fragte ich und zuckte mit den Schultern. In den letzten Tagen zumindest war ich nicht wirklich gesprächig gewesen – und wenn, dann nur aus beruflichen Gründen.

„Hör auf. Wenn ich dich so frage, weißt du doch, worauf ich hinaus möchte.", sie hob vorwurfsvoll eine Augenbraue.

„Mich beschäftigt der Fall.", meinte ich ehrlich.

„Verstehe.", sie nickte und biss in eine Pommes. Diese waren um Längen besser als die Fastfoodketten-Variante.

„Woran denkst du?", fragte ich, weil ich glaubte, sie wollte nicht umsonst ein Gespräch anfangen.

„Auch an den Fall.", sagte sie nicht überzeugend genug.

„Und?"

„Rose."

Ich stahl mir ein Stückchen ihres Fisches.

„Willst du darüber sprechen?"

„Weiß nicht.", sie sah aus dem Fenster, „Eigentlich ja, aber ich wüsste nicht so recht wie..."

Mir die Augen reibend lehnte ich mich in meinem Stuhl zurück. Auf einem Fernseher an der Wand wurden die Sportergebnisse von gestern angezeigt. Wegen unseres Besuchs beim Golfclub blickte ich ein paar Sekunden länger auf den Bildschirm. Irgendein Golfspieler hatte eine gute Leistung erbracht. Mir sagten die Bezeichnungen nichts.

„Ich würde dir gerne helfen, aber...", ich seufzte.

„Wenn wir schon dabei sind", sie sah mich mit einer Mischung aus Neugierde und Ernst an, „was genau ist mit dir und Alice? Also mich geht das nichts an, aber – "

Ich schluckte und wurde rot. Hätte ich bloß nicht damit angefangen. Einmal Empathie zeigen und schon muss man Fragen beantworten. Ich kratzte mich am Kinn und sah verstohlen zu dem Bildschirm, auf dem nun die Wetterkarte zu sehen war.

„Es ist kompliziert."

„Das hast du heute Morgen schon gesagt."

„Ist es ja auch.", sagte ich leicht verlegen.

„Aber was macht es so kompliziert? Mir kannst du es sagen. Ich bin nur deine Kollegin."

Das machte es nicht einfacher. Es war zwar ganz nett, dass sie nicht meiner Familie oder meinem engeren Freundeskreis angehörte und auch nicht mit Alice befreundet war, aber trotzdem wollte ich nicht darüber reden.

„Ich glaube, wir machen es selbst zu kompliziert.", meinte ich und faltete meine Servierte, „Entschuldigst du mich?"

Ich wies in Richtung der Toiletten.

„Aber nicht abhauen. Wir haben noch Arbeit zu erledigen.", sie hob mahnend einen Finger.

„Hm.", brummte ich und ging zur Hintertür.

Das WC war schmutzig und es roch nach Zigaretten.

Eigentlich musste ich gar nicht. Ich wollte einen Anruf machen, ungestört. Davis war nett und offen und hilfsbereit, aber sie war immer noch eine Kollegin. Und nicht meine beste Freundin.

Entschlossen holte ich das Handy hervor. Ich entsperrte es und stockte.

Zögernd schwebte mein Finger über dem Telefonsymbol. Mein Hintergrundbild hatte sich seit Monaten nicht geändert. Es war immer noch das Bild von einer Party, die so gut gewesen war, dass ich mich nur an Bruchstücke erinnern konnte. Fluchend legte ich die Stirn an die kalten Kacheln. Es war Mist. Großer Mist. Und das wusste ich, das hatte ich von Anfang an gewusst. Und das würde es auch immer bleiben. In das Pissoir spuckend steckte ich das Handy wieder weg und öffnete den Reißverschluss meiner Hose.

Nach dem Pubbesuch fuhren wir zurück in die Zentrale. Davis machte einen Spruch über Alkohol am Steuer, aber brachte das Thema *Frauen* nicht mehr auf.

In der Zentrale empfing uns Laura mit den Neuigkeiten von Johnson und Klein (Davis und ich hatten unsere Handys während der wohlverdienten Mittagspause stummgeschaltet). Henry Link hatte es geschafft nach einer wilden Taxifahrt durch die Kleinstadt, in einen Zug Richtung London einzusteigen und dann vom Radar zu verschwinden. Johnson war auf dem Weg zurück zum Revier und Klein sollte sich um die Züge und die Anrufe bei den Kollegen aus der Hauptstadt kümmern. Wir sollten uns bei den Richardsons erkundigen, ob Abbigail vernehmungsfähig war. Als ich Laura fragte, warum sie nicht schon bei den Richardsons angerufen hatte, sagte sie, dass sie genügend mit den anderen Anrufen und dem Schnickschnack auf dem Revier zu tun gehabt hatte und jetzt gerne die Toiletten aufsuchen würde.

„Das nehme ich dir nicht übel.", meinte ich und hob entschuldigend die Hände.

„Aber ich dir.", sie kniff böse die Augen zusammen und stand von ihrem Schreibtisch auf.

„Aber –"

„Kein Aber.", sie stellte ihre leere Kaffeetasse neben die Kaffeemaschine und klopfte auf die Schaltfläche, „Wenn du mir einen Kaffee machst, wäre dir schon verziehen."

Sie lächelte und ging auf den Gang. Von nebenan waren weitere Stimmen zu hören. Sie alle wollten Kaffee.

„Selbst schuld.", bemerkte Davis und setzte sich grinsend auf die Arbeitsfläche von Laura.

Daraufhin warf ich ihr nur einen finsteren Blick zu und begann, Kaffee für alle zu kochen.

Als dann auch noch Johnson kam, zeigte ich ihm einen Vogel und verschwand schnell Richtung Adger's Hill, um mich zum zweiten Mal an diesem Tag Abbigail zu widmen. Davis war der Meinung, wir hätten vielleicht lieber bis morgen warten wollen, aber wenn der Chef sagte, dass wir zu ihr fahren sollten, sobald sie sich dazu bereit erklärte, dann taten wir das. Immerhin war der Chef…der Chef.

Auf dem Grundstück der Richardsons begrüßte uns Fred. Wir hatten ihn gestern Abend schon wieder nach Hause gelassen, weil die Beweislage zu dünn war. Außerdem hatte er auch nicht von gestern auf heute ein Motiv bekommen. Mr. Matthews war gerade dabei eine Schubkarre mit Grünschnitt von hinter der Garage auf die Auffahrt zu schieben.

Als wir klingelten, öffnete uns Ms. Ali. Sie führte uns mit wenigen Worten zurück in Abbigails Zimmer. Auch dieses Mal musste sie wieder gehen, aber nicht, weil wir es wollten, sondern weil Abbigail darauf bestand.

„So –", fing ich an, „Ich hoffe, dir geht es ein klein wenig besser. Ich weiß, diese Situation ist nicht gerade angenehm."

Wir setzten uns wieder auf das Sofa.

„Es ist beschissen.", sagte sie. Ihre Augen waren rot. Ihr Gesicht blass und ihre trendige Kleidung hatte sie gegen einen dicken Pullover und eine weite Jogginghose ausgetauscht.

„Ja.", ich wusste nicht so recht, was ich darauf erwidern sollte, „Also fangen wir an."

„Ist gut.", sie nickte ernst.

„Wen oder was hast du in der Nacht bemerkt, als du bei deiner Schwester gewesen bist?"

„Stimmen. Ich habe gehört, wie sich mein Vater unterhalten hat. Es war ein erregtes Gespräch. Ich konnte nicht hören, worum es ging, aber nach diesem…dumpfen Ton wurden beide lauter. Als ich danach in das Arbeitszimmer geguckt habe, war keiner mehr da.", erzählte sie. Ihre Stimme war immer noch schwach.

„Hast du die zweite Stimme erkannt?", fragte ich, „Oder war etwas Besonderes an ihr?"

In den seltenen Fällen, in denen jemand eine außergewöhnliche Stimme hatte, konnte man sich meistens auch daran erinnern und sie einfacher zuordnen.

„Nein. Dafür war es zu leise. Aber es war ein Mann. Ich glaube auch, dass er akzentfrei gesprochen hat.", antwortete sie.

Ich war überrascht. Danach hätte ich gar nicht gefragt.

„Unser Kollege hat dir sicher schon dieses Bild gezeigt.", ich hielt ihr die Momentaufnahme von der Überwachungskamera auf meinem Handy hin.

Ihre Augen weiteten sich und verengten sich dann wieder, um auf dem kleinen Bildschirm und dem unscharfen Bild etwas zu erkennen.

„Ja. Das stimmt.", sie nickte, „Ist das der...?"

„Vermutlich.", sagte ich, „Und du kennst ihn nicht?"

„Nein.", die gleiche Antwort hatte Johnson auch schon erhalten.

„Weshalb hast du die Tür geschlossen, als du bei Florence warst?"

Sie atmete tief durch und rieb sich die roten Augen.

„Ich wollte nicht gesehen werden."

„Von wem? Von deinem Vater oder dem anderen?"

Sie zögerte. Wahrscheinlich, weil sie mit der Frage nicht gerechnet hatte.

„Von beiden. Papa hat es nicht gemocht, wenn man lauscht.", an der Art, wie sie es sagte, war etwas unstimmig. Es klang fast wie eine Frage, nicht wie eine Antwort.

„Weißt du, wie der Fremde ins Haus gekommen ist?"

„Ich schätze mal, er wurde von Papa reingelassen.", sie zuckte mit den Schultern.

Ich sah, dass Davis mir einen Seitenblick zuwarf. Sie merkte auch, dass etwas nicht stimmte. Abbigail sagte nicht die Wahrheit. Sie log, aber nicht mit ganzem Herzen. Sie log, als würde sie wollen, dass wir es herausfanden.

„Abbigail.", ich räusperte mich und lehnte mich vor, „Wenn du irgendetwas weißt, dann sag es bitte. Jeder Hinweis könnte wichtig sein."

Ich bemühte mich, ihr tief in die Augen zu sehen. Ihre Hände hatte sie im Schoß vergraben, aber es war trotzdem zu sehen, dass sie zitterten. Ihr Blick wanderte schüchtern um meine Augen herum und suchte nach einem Ausweg. In ihre Augen traten erneut Tränen. Stumm und fast unbemerkt. Sie verzog das Gesicht und drehte sich von uns weg.

„Es ist besser, du sagst uns jetzt, wenn du etwas weißt, als wenn wir es später herausfinden.", sagte ich und bat mit einem Blick Davis um Hilfe. Aber die brauchte ich gar nicht.

Abbigail wischte sich die Tränen von der Wange und starrte meine Augenbraue an.

„Ich wollte nicht, dass es passiert. Ich wollte es nicht, ich wollte nicht, dass er...", ihre Stimme klang wie eine Mischung aus Anklage und Weinen, „Ich wollte nur, dass er mich versteht. Dass er weiß, wie es mir geht. Ich wollte nur, dass sie reden...dass sich etwas ändert. Das wollte ich nicht. Ich...ich wollte –"

Sie vergrub das Gesicht erneut in den Händen, riss es aber sofort wieder hoch und sah mich verkrampft an.

„Er hat versprochen, dass er mit ihm redet. Er versprochen, dass er ihm zuhört. Er wollte etwas ändern...er wollte sich ändern! Und er hat es trotzdem getan! Er hat es trotzdem getan!", sie schrie laut und ihre Stimme riss kleine Wunden in mein Herz, „Er hat ihn kaltblütig ermordet! Obwohl er sich ändern wollte. Er hat ihn getötet – und dann hat er die Dreistigkeit, mir zu sagen, dass alles gut wird! Er hat es versprochen!"

Und zitternd und heulend, tränenüberströmt und krampfartig nach Luft schnappend brach die letzte Fassade. Ihr Gesicht war rot, unendlich verzerrt von Schmerzen. Ihr Körper bebte und ihre

Stimme war klirrend wie zerberstendes Glas. Sie rollte sich von ihrem Stuhl aufs Bett und krallte sich in die Decke. Zog sie an sich, als versuchte sie etwas festhalten, das nicht mehr da war. Jemanden, der nicht mehr da war. Ihre Beine schlangen sich um die Bettdecke und sie wälzte sich auf den Rücken.

„Er hat es VERSPROCHEN!", sie schrie in die Luft, zur Decke, wahrscheinlich zum Himmel. Aber schreien nützte nichts mehr. Das wusste sie und das wussten wir. Und weil wir auch wussten, dass keine Hollywoodgröße dieser Welt solche Emotionen nachahmen konnte, blieb Davis bei ihr am Bett und ich rannte, um Ms. Ali zu holen. Auch Mrs. Richardson folgte uns. Die Schreie waren im ganzen Haus zu hören.

Polternd platzten wir drei in das Zimmer. Davis hockte neben dem Bett, eine Hand wurde fest umkrallt, die andere hatte sie dem Mädchen um die Schultern gelegt. Das Mädchen hatte das Gesicht fest ins Laken gedrückt, zitterte, weinte, schluchzte, blutete...

Kapitel 12 – Eine Behinderung der Justiz

Es war schwer zu begreifen, was in einem Menschen in einer solchen Situation vor sich ging, wenn man nicht selbst schon ähnliches erlebt hatte. Ich hatte zum Glück nie um früh verstorbene Verwandte trauern müssen. Lediglich um zeitgemäß Verstorbene, was schon schlimm genug war. Außerdem war keiner meiner Verwandten ermordet worden. Deswegen konnte ich mir nur bis zu einem bestimmten Punkt vorstellen, wie es Abbigail in dem Moment ging, da um sie herum vier Erwachsene standen und versuchten, ihr zu helfen. Besonders hilfreich war wahrscheinlich nicht, dass zwei dieser Leute vollkommen fremde Polizeibeamte waren. Trotzdem blieben Davis und ich. Und das nicht nur aus professioneller Neugierde – denn es hatte so geklungen, als würde Abbigail den Verantwortlichen am Mord ihres Vaters kennen – sondern auch aus Mitleid. Es war ein seltsames Gefühl, das ich noch bei keiner Mordermittlung so richtig gehabt hatte. Ich bemitleidete Abbigail nicht in dem Sinne, wie ein Zuschauer den Protagonisten in einer Fernsehshow bemitleidete. Es war eine andere Art, ein Gefühl von Betroffenheit, das auch, als ich am Abend nach Hause fuhr, nicht richtig abklingen wollte.

Um Abbigail und den Rest der Familie kümmerte sich ein Team aus professionellen Seelsorgern. Wir hatten abgewartet, bis man uns gebeten hatte, zu gehen, was wir nach Absprache mit dem Chef auch taten. Den Namen des Mörders würden wir wahrscheinlich bis zum nächsten Morgen nicht bekommen. Das war nicht nur mir, sondern auch dem Chef und allen anderen Kollegen ein Dorn im Auge, aber immerhin ließ Abbigail verlauten, dass es Henry Link

nicht war. Deshalb durfte Klein pünktlich zum Abendessen heim-
fahren und den kleinkriminellen Privatdetektiv erstmal den Lon-
doner Kollegen überlassen.

Als ich Davis vor dem Revier absetzte, blieb sie noch einige
Augenblicke am geöffneten Seitenfenster stehen. Ihr Gesicht
zeigte eindeutig ihre Meinung zum Befehl vom Chef („Fahrt nach
Hause und ruht euch aus. Jetzt heißt es abwarten.").

„Das ist doch Müll.", sagte sie ganz offen.

„Kann ich nicht ändern.", ich nickte.

„Was ist, wenn derjenige zurückkommt, um sie zum Schweigen
zu bringen? Wenn sie seinen Namen kennt, ist sie nicht eher sicher,
bis derjenige hinter Gittern sitzt.", sie trat gegen einen Laternen-
pfahl.

„Dafür haben wir ja die Nachtwache eingerichtet.", meinte ich.

„Trotzdem gefällt mir das gar nicht. Ich verstehe, dass die Familie Ruhe braucht und sie ungestört trauern können muss, aber
ich sehe nicht ein, warum wir nicht einfach den Typen fassen können.", sie schüttelte den Kopf.

„Ich auch nicht, aber wir können uns nicht über den Chef hinweg setzen."

„Ich weiß.", sie seufzte niedergeschlagen und wütend, „Gute
Nacht."

„Gute Nacht."

Sie öffnete den Mund, schloss ihn wieder und ging auf die andere Seite des Parkplatzes. Ich fuhr los und machte mich auf den
Weg zu Alice – weil ich es eigentlich doch wollte, obwohl es großer Mist war.

Auch mir gefiel nicht, dass wir zu Hause in Bereitschaft warten sollten, um möglichst schnell den Mörder aus dem Bett klingeln zu können. Mir gefiel es überhaupt nicht. Leider blieb mir aber nichts anderes übrig. Der Chef hatte lange genug versucht, Mrs. Richardson dazu zu überreden, dass wir weiter mit Abbigail reden konnten. Und Mrs. Richardson hatte ebenso lange beteuert, dass sie ihrer Tochter das in diesem Zustand nicht zutrauen könnte. Der Vater war gestern gestorben und so. Dabei war aber allen Anwesenden nicht entgangen, dass Abbigail sehr wohl helfen wollte. Sie hatte sogar versucht, etwas aufzuschreiben, als sie merkte, dass ihre Schluchzer, die Schnappatmung und das viele Weinen sie nicht sprechen lassen wollten. Aber auch nachdem mehrere Liter – so sah es jedenfalls aus – Tränen das Papier nass gemacht hatten, konnte sie den Stift nicht richtig halten.

Der Chef konnte noch so viel Überzeugungsarbeit leisten, um Mrs. Richardson umzustimmen, aber, selbst wenn das Kind schon seit einigen Monaten 18 war, gegen die Macht einer Mutter konnte er nicht ankommen. Schon gar nicht einer reichen Mutter, die schnell teure Anwälte heraufbeschwören konnte. Da nützte es uns auch nichts, dass der Chef mit einer Anklage wegen Behinderung der Justiz drohte. Außerdem war Drohen sowieso nicht so angesagt unter Polizeibeamten. Man hatte schlechte Erfahrungen mit teuren Anwälten gemacht.

„Kann es sein, dass du endlich den Mumm hast, mich regelmäßig zu besuchen, oder willst du dich einfach durchfüttern lassen?", fragte Alice, als ich vor ihrer Tür stand. Sie grinste und gab mir einen Kuss auf die Nase.

„Wieso sollte ich nicht regelmäßig kommen?", entgegnete ich und schlüpfte aus den Schuhen.

„Naja, jetzt kommst du zwei Tage hintereinander und davor haben wir uns fast eine Woche nicht gesehen.", sie sah mich ernst an.

„Vier Tage.", meinte ich.

„Ist doch fast eine Woche.", erwiderte sie und zog mich in Richtung Sofa, „Wie war die Arbeit?"

„Milde ausgedrückt: beschissen.", ich seufzte und ließ mich neben ihr aufs Sofa fallen.

„Viel Stress?", sie streichelte meine Hand.

„Kann man so sagen."

„Soll ich dir einen Tee machen? Oder ein Bier bringen? Ich habe heute extra welches gekauft, weil du gestern gesagt hast, dass du lieber Bier als Wein trinkst.", sagte sie und sah mich stolz von ihrer eigenen Leistung an.

„Das war nur ein Witz. Du hättest nicht extra was kaufen müssen.", ich war entsetzt.

„Aber auch hinter jedem Witz steckt ein bisschen Wahrheit.", meinte sie und sprang auf, „Also ein Bier?"

Ich schüttelte den Kopf.

„Nein, vielleicht eine Cola, wenn du hast. Es kann sein, dass ich noch mal los muss."

„Eine Cola – der feine Herr macht auf vernünftig.", sie lachte.

„Ich will nur nicht betrunken Autofahren müssen.", entgegnete ich. Außerdem hatte ich heute Mittag schon ein Bier gehabt. Heute Mittag um drei.

„Ist ja gut. Du kriegst deine Cola, aber dann musst du dich nicht wundern, wenn ich dich zu der nächsten Feier nicht einlade."

Aus der Küche war das Zischen einer frisch geöffneten Dose zu hören und das Klirren eines Glases. Bei dem Wort Feier merkte ich wie mir etwas Säure den Hals hochstieg. Ich blickte auf mein

Handy. Von dem Hintergrundbild aus lachten mich fast ein Dutzend Leute an.

„Worauf hast du eigentlich Hunger? Ich habe jetzt gar nichts vorbereitet.", sagte Alice, als sie mir meine Coladose und ein Glas dazu reichte. Sie selbst nahm sich ein Bier.

„Nichts großes. Du musst dir keine Arbeit machen. Mir reicht ein Brot oder so.", ich zuckte mit den Schultern.

„Ich hätte mir auch keine Arbeit gemacht. Ich hätte wieder bestellt.", sie grinste, aber dann sah sie mich ernst an, „Ist irgendwas?"

Ich schüttelte meinen Kopf kräftig und rieb mir das Gesicht. Dann setzte ich eine fröhlichere Miene auf.

„Nö.", ich nahm mir meine Cola und hielt ihr das Glas zum Anstoßen hin.

„Wenn du meinst.", sie zuckte mit den Schultern, „Cheers."

„Cheers."

Heute zog ich mir keine Jogginghose an, wir kuschelten auch nicht unter einer warmen Decke oder schauten uns kitschige Filme an. Wir aßen auch keine Pizza. Stattdessen reichte Alice mir eine kalte Pastete und wir erzählten. Das hieß, sie erzählte und ich hörte die meiste Zeit zu.

Sie berichtete mir von ihrem Tag. Von der Arbeit und dem Shoppen, davon, dass Cathy und ihr Freund vor einer Woche Schluss gemacht hatten und er schon wieder eine Neue hatte, davon, dass sie sich eine Saftpresse gekauft hatte und sie uns einen neuen Bettbezug aufgezogen hatte – uns, sie sagte, uns. Als würde ich schon hier wohnen.

Den ganzen Abend über hatte ich ein unangenehmes Gefühl im Bauch. Es lag nicht an der Pastete und auch nicht an der Cola, obwohl mir die auch manchmal auf den Magen schlug. Es war viel mehr der große Schatten, den der Fall auf mich warf, und ein gewisses Gefühl von Schuld jedes Mal, wenn ich sie ansah.

„Hey, irgendwas ist doch. Du guckst so.", sie hatte in ihrer Erzählung inne gehalten.

„Nein, also ja. Aber ist nicht so wichtig. Der Fall beschäftigt mich.", log ich.

Ich wollte mir nicht selbst die Stimmung vermiesen. Das tat ich oft genug.

„Du musst auch mal deinen Kopf ausschalten und die freie Zeit, die du hast, genießen. Die bösen Jungs können auch mal ein paar Stunden ohne dich.", sie streichelte gespielt mitleidig meine Wange.

„Wenn das so einfach wäre.", ich stellte mein Glas ab und lehnte mich nach vorne. Ich drückte meine Lippen auf ihre und warf sie sanft hinten über, sodass wir auf- und nebeneinander gekuschelt fast vom Sofa rutschten.

„He! Mein Bier.", sagte sie und stellte die Flasche auf den Boden, „Nicht so stürmisch, Kleiner. Sonst kannst du den Teppich säubern."

Sie lachte und grinste und küsste mich, aber ich wusste, dass sie es vollkommen ernst meinte.

Nach einigen Minuten Herumkuscheln und -knutschen lösten wir uns voneinander und sie ging ins Bad, um sich bettfertig zu machen.

Angeblich wollte sie morgen früh aufstehen, um noch laufen gehen zu können. Das bezweifelte ich aber, weil sie eine begnadete

Langschläferin war. Allerdings war sie auch gut darin, früh aufzustehen – da war sie meistens wacher als ich – aber sie hasste es und
lag lieber noch eine Stunde im Bett (oder zwei), wenn sie um sechs
schon wach war. Sie hatte auch das Glück, dass ihr Job das zuließ.

Ich nahm ihr nicht übel, dass sie schon zu Bett ging. Immerhin
war ich heute nicht gerade eine Spaßkanone und mein Küssen war
nur halbherzig gewesen. Ich war nicht richtig in der Stimmung dafür.

Nachdem sie ins Bett gegangen war, saß ich noch auf dem Sofa
und ließ den Fernseher leise laufen. Ich sah nicht wirklich hin, aber
es half mir wach zu bleiben. Immer mal wieder entsperrte ich mein
Handy und blickte auf das Hintergrundbild. Dann, nach ein paar
Augenblicken, legte ich das Ding wieder weg und sah durch die
halb geöffnete Schlafzimmertür auf den sich regelmäßig hebenden
Körper unter der Decke. Friedlich und – wie es mir vorkam –
glücklich schlief sie. Vielleicht war dieser Mist gar nicht so Mist.
Vielleicht war diese Frau den ganzen Mist wert. Ich seufzte und
sah zur Decke. Sie war es ganz bestimmt wert.

Kapitel 13 – Wer tot ist, kann nicht stören

Um ungefähr zehn nach zehn bekam ich einen Anruf. Mein Handy klingelte und riss mich aus dem Halbschlaf. Schnell schüttelte ich die Müdigkeit ab und wischte über den Bildschirm. Es war die Zentrale – nicht Laura. Die hatte schon Feierabend. Rockwood, den ich eigentlich nur im Vorbeigehen kannte, bestellte mich mit sofortiger Wirkung aufs Revier. Der Chef war schon da und der Rest war mindestens auf dem Weg.

Ich sprang auf, schlüpfte in meine Schuhe, warf mir den Mantel über und blickte mich nach einem Schlüssel um.

„Musst du noch mal los?", fragte eine verschlafene Stimme von weiter weg.

„Ja, leider. 'Tschuldige, dass ich dich geweckt habe. Bis später.", ich stopfte den Schlüssel in meine Manteltasche und eilte auf die Straße.

Ich hätte es schön gefunden, wenn Rockwood mir gesagt hätte, warum ich so dringend zur Zentrale sollte. Das hätte meinen Puls vielleicht ein wenig beruhigt. Aber aus Erfahrung hatte ich auch gar nicht gefragt. Spätestens, wenn ich da war, würde ich alles erfahren und Rockwood musste wahrscheinlich noch andere Anrufe tätigen.

Im Auto bemerkte ich, dass ich den Fernseher angelassen hatte. Fluchend gab ich Gas und missachtete mehrmals die Geschwindigkeitsbegrenzung. Bei den Ampeln gab ich jedoch nach. Ich wollte nicht als Ziehharmonikabauteil an der Hauswand oder einem anderen Fahrzeug enden. Hatte ich alles schon gesehen.

Während ich hinter einem Taxi herfuhr, das wohlgemerkt auch schon fast mit 40 Meilen die Stunde fuhr, war ich dem Chef dankbar, dass er Rockwood hatte anrufen lassen. Wenn Johnson derjenige gewesen wäre, hätte er mir wahrscheinlich in fünf Minuten erst Bescheid gesagt, oder noch später. Aber so kam ich noch vor meinem Kollegen an und nahm ihm seinen Parkplatz weg.

Ich sprang aus dem Auto, knallte die Tür zu und rannte über den kleinen Parkplatz zur Tür.

Drinnen brannte kein Licht. Das kam mir seltsam vor, aber Rockwood hatte eindeutig gesagt, ich sollte so schnell wie möglich (sofort) da sein. Also drückte ich die Klinke zum Hintereingang runter, die Tür war offen. Ich holte ein wenig Luft, um nicht komplett abgehetzt vor den Rest der Mannschaft zu treten. Dann ging ich den dunklen Gang zur Zentrale entlang. Dort brannte Licht – und Stimmen waren zu hören. Ich konnte die vom Chef hören. Auch Kleins Stimme war zu hören. Die tiefe Stimme von Rockwood drang von der anderen Seite des Gangs durch eine geöffnete Tür. Ich hob die Hand zum Gruß und er nickte kurz. Ich drückte die Tür zur Zentrale auf und öffnete überrascht den Mund.

Außer Clarke und Klein saßen an einem der Tische Fred Matthews und Abbigail Richardson. Damit hatte ich nicht gerechnet. Ich starrte die beiden verwirrt an, fasste mich wieder und legte den Mantel ab.

„Ah, Cartwright, schön, schön.", Clarke lächelte, „Danke, dass Sie so schnell kommen konnten. Wie Sie sehen haben wir Besuch."

„Ja, äh, das sehe ich.", sagte ich und blickte mich um. Es gab kein Indiz, warum die beiden hier waren. Der Rest des Raums sah aus wie immer.

Ich nickte Klein zu, der mein Nicken erwiderte.

„Ja, der Rest müsste auch bald eintrudeln. Ich fange am besten schon mal an.", der Chef setzte sich auf einen der unbequemen Stühle und schob eine Kaffeetasse beiseite.

Auch Klein und ich setzten uns.

„Mr. Matthews und Ms. Richardson sind vor einigen Minuten hier hergekommen, weil Ms. Richardson aussagen möchte.", erklärte Clarke, „Allerdings ist mir nicht ganz klar, warum erst jetzt, Ms. Richardson. Sie hätten doch schon früher etwas sagen können."

Abbigail sah aus wie heute Nachmittag. Mit ausgeweinten Augen, einem niedergeschlagenen Blick und einer halbangespannten Haltung. Sie hatte bis jetzt die ganze Zeit auf ihre im Schoß versteckten Hände gestarrt.

„Wegen meiner Mutter.", sie sah auf, „Sie wollte nicht, dass ich irgendetwas sage. Ich glaube, sie wollte nicht, dass ich irgendetwas Falsches mache und damit meine Zukunft verbaue."

Sie hob zum Zeichen, dass sie es selbst nicht verstand, die Hände und schüttelte den Kopf.

„Außerdem hat sie sich wahrscheinlich einmal wirklich Sorgen um mich gemacht."

„Na gut, und warum hat sie ihre Meinung geändert?", fragte der Inspektor.

„Hat sie nicht. Ich habe mich rausgeschlichen und Fred gefragt, ob er mich fahren kann. Ich wollte nicht mit ihr diskutieren.", sie wischte sich eine Strähne aus dem Gesicht. Dann hatte unsere Nachtwache ja gut aufgepasst, dachte ich.

„Wir wollen Sie zu nichts nötigen. Sie können mit Ihrer Aussage auch bis morgen abwarten, wenn Ihnen das lieber ist.", sagte der Chef. Das war eine dreiste Lüge, aber es klang netter und er wusste, dass sie sich jetzt nicht mehr umentscheiden würde.

„Nein, nein. Ich möchte, dass er verhaftet wird. Er hat meinen Vater umgebracht und –", sie holte Luft und unterdrückte ein Schluchzen, „und dafür soll er bestraft werden."

„Das wird er.", Clarke nickte, „Wer ist es?"

Die Frage, auf die wir alle gewartet hatten – oder viel mehr die Antwort.

Es schien Abbigail Überwindung zu kosten, den Namen auszusprechen, denn sie sah keinen von uns an und schloss schluckend die Augen.

„Es ist – an dem Abend war er mit Papa verabredet, sie sollten miteinander sprechen. Meinetwegen. Ich hatte darauf bestanden. Ich dachte, sie würden sich nur unterhalten. Sie sollten bloß ein bisschen reden, damit sie sich und mich besser verstanden."

Während sie sprach, fragte ich mich, ob sie einen heimlich Freund hatte und ob sie dieses Vorgeplänkel aus dem Fernsehen hatte oder es ihr tatsächlich wichtig war, dass wir die Geschichte vor dem Namen kannten.

„Papa hat mit ihm telefoniert und am Abend die Tür offen gelassen, damit er reinkommt, ohne dass die anderen etwas merken.", sagte sie und ich merkte, dass sie zitterte, „Papa hat mir versprochen, dass er ihn anhört und die Sache ernst nimmt...und dann hat er einfach..."

Sie schluchzte und Mr. Matthews legte zögernd einen Arm um sie. Clarke wurde sichtlich nervöser und ungeduldiger.

„Sein Name ist Mitchells.", sie sprach den Namen langsam und mit einer seltsamen Grimasse aus, „Mr. Mitchells, mein Vertrauenslehrer."

Dann konnte sie sich nicht mehr zurückhalten und Tränen flossen ihre Wangen herunter.

„Er wollte nur, dass ich von Papa ernst genommen werde, ich hätte nie gedacht, dass er…“, sie schluchzte.

Das tat man nie. Leider mussten Mörder immer erst morden, bevor man sie verhaften konnte.

„Gut, danke. Das ist eine große Hilfe.“, meinte der Chef, „Klein und Cartwright, Sie kommen mit mir. Wir werden uns diesen Mitchells vornehmen. Johnson soll sich, wenn er kommt, darum kümmern, dass Ms. Richardsons Aussage verschriftlicht wird. Und Rockwood soll uns alles über diesen Mitchells geben. Ich will, dass wir in spätestens fünf Minuten hier weg sind. Wer weiß, vielleicht ist er schon über alle Berge.“

Er machte eine unbestimmte Geste und lief hastig zum Flur.

„Nein.“

Er drehte sich um. Mit großen Augen sah er zurück zu uns.

„Wie?“

„Nein, er ist nicht über alle Berge.“, Abbigail sah das erste Mal richtig auf.

„Inwiefern? Was wissen Sie?“, fragte Clarke schnell.

„Er hat mir geschrieben. Er hat gesagt, alles würde gut werden.“, sie schüttelte angewidert den Kopf, „Hier.“

Sie zog ein Handy in roséfarbener Hülle hervor und tippte darauf herum. Dann legte sie es auf den Tisch und steckte die Hände wieder in den Schoß.

Klein, der näher an ihr dran saß, nahm das Handy und blickte darauf. Der Chef stapfte hinter ihn und ich lehnte mich vor.

„Hier: Mr. Mitchells – „Hey, Abbi. Alles wird gut. Ich habe mit ihm gesprochen.“ Und dann die Antwort: „Er ist tot!“ Darauf hat er geschrieben: „Ich weiß. Es ist alles ein bisschen aus dem Ruder gelaufen. Das hätte nicht passieren sollen. Es tut mir leid. Aber alles wird gut. Keine Angst, dafür werde ich sorgen. Du brauchst dich um nichts kümmern. Ich regele das. Ich habe mir auch ein Alibi besorgt. Erzähl der Polizei nur nichts von mir!" ", las Klein.

„Das braucht er wohl nicht mehr. Gute Entscheidung, Ms. Richardson. Wir werden uns darum kümmern. Könnten wir das Handy noch haben für die Beweissicherung?", erwiderte der Chef.

„Ja klar.", sagte sie knapp.

„Johnson sollte gleich hier sein. Dann fahren wir los. Klein, sag Rockwood Bescheid, dass er alles zu Mitchells raussuchen soll. Und Sie – wissen Sie, wo er wohnt?", der Chef sah sie eindringlich an. Ich konnte sehen, wie seine Pulsader anschwoll und prachtvoll seine Aufregung und Ungeduld zum Ausdruck brachten.

„In Adger's Hill, irgendwo bei der Bücherei. Mehr weiß ich nicht."

„Gut, auf geht's.", Clarke scheuchte uns in den Flur wie Hühner. Ich schnappte mir noch schnell den Mantel und Klein ging zu Rockwood. Die Tür ging auf und Johnson stiefelte herein. Er trug seine übliche Cargohose, aber darüber hatte er eine viel zu kleine Jacke an und sein Pullover war auf links. Wenn die Situation es nicht verboten hätte, hätte ich gelacht. Machte er bei mir ja nicht anders. Stattdessen nickte ich knapp und ging an ihm vorbei durch die Tür nach draußen.

Der Chef sagte ihm das nötigste und kam mir hinterher. Ungewöhnlicher Weise setzte er sich in mein Auto.

„Sprit sparen.", brummte er und wies zur Straße, „Fahren Sie!"

Das tat ich. Auch wenn neben mir mein Chef saß, die Geschwindigkeitsbegrenzung war heute ausgesetzt. Zumindest auf gerader Strecke. Klein folgte uns mit etwas Abstand.

Auf dem Weg nach Adger's Hill gab uns Rockwood die Informationen zu Mr. Lewis Mitchells durch. Er war Lehrer an der St. Catherine's Secondary School, wie Bailey es gewesen war. Er war 43 und wohnte im Lillac Drive gegenüber der öffentlichen Bibliothek in Adger's Hill. Auch bei der Polizei war er aktenkundig. Vor einigen Jahren hatte er einen Autounfall verursacht und nachher verleugnet. Bevor die Sache vor Gericht gehen konnte, war er dann doch eingeknickt.

Während ich über die dunkle Landstraße fuhr, ließ ich mir durch den Kopf gehen, was Abbigail über ihn gesagt hatte. Er hatte mit Mr. Richardson reden wollen. Wie war es zur Eskalation gekommen? Mr. Richardson hätte versprochen, die Sache ernst zu nehmen. Warum ihn töten? Und dann diese Nachricht. Aus dem Ruder gelaufen. Alles würde gut werden. Das klang nicht nach der richtigen Antwort auf eine solche Situation. Mr. Mitchells sollte derjenige sein, der Abbigail half, nicht der, der ihr den Vater nahm. Vielleicht verstand er das als helfen. Der Vater konnte schließlich seine Tochter nicht mehr stören, wenn er tot war. Ich schüttelte den Kopf. Das war absurd. Das war pervers. Kein vernünftiger Mensch – ich verzog das Gesicht.

Kapitel 14 – Dann war er tot...

Das Haus von Mitchells war ein kleines Reihenhaus mit winzigem Vorgarten und ungepflegten Beeten. Im Moment lag es im gelblichen Licht einer Straßenlaterne. Kein Fenster war erleuchtet. Das Auto parkte vor dem Eingang auf der Straße. Ich parkte direkt dahinter und Klein davor. So konnte er nicht einfach wegfahren. Außerdem war sonst kein Platz. Wir sprangen aus dem Auto, machten die Autotüren sanft zu, damit er uns nicht gleich entdeckte. Clarke ging voran, öffnete das kniehohe Gartentor und drehte sich, bevor er klingelte, zu uns um.

„Cartwright, würden Sie bitte nach hinten gehen. Ich möchte nicht, dass er abhaut.", er deutete auf den schmalen Weg ein Haus weiter, der scheinbar hinter die Grundstücke führte.

„Alles klar, Chef. Soll ich ein Zeichen geben?", fragte ich schon wieder auf der Straße.

„Eine Nachricht. Dann klingeln wir.", meinte er und nickte.

Ich beeilte mich, den schattigen Weg entlang zu laufen. Ich sah mich kurz um und kletterte über die kleine Gartenmauer in den Nachbarsgarten und dann in den Garten von Mitchells. Auch hier wucherten die Sträucher herrenlos vor sich hin. Auf der kahlen Terrasse stand ein verpackter Grill und eine halbleere Bierkiste.

Ich zog mein Handy hervor und textete dem Inspektor: OK.

Von drinnen war ein leises Klingeln zu hören. Ich drückte meine Nase an die Fensterscheibe und spähte nach drinnen. Das Wohnzimmer schien leer zu sein. Kein Fernseher lief, auch keine Beistelllampe brannte. Mit zusammengekniffenen Augen versuchte ich, auf der Couch jemanden zu erkennen, aber außer einer Decke und Kissen sah ich nichts.

Wieder klingelte der Inspektor, diesmal zwei Mal hintereinander.

In dem Haus wurde Licht eingeschaltet. Es drang ein Stockwerk über mir zwischen den Schlitzen einer Jalousie in den Garten. Dann war ein Rumpeln zuhören. Jemand schien die Treppe hinunterzulaufen. Ein Schatten trat in das Wohnzimmer. Schnell drückte ich mich an die Wand und hielt den Atem an. Ein Rütteln an der Terrassentür erklang und sie wurde aufgerissen. Hastig trat jemand auf die Terrasse und schlug die Tür wieder zu.

Ruhig stellte ich mich vor ihm. Jedenfalls wollte ich das. So schnell wie er rannte, konnte ich gar nicht gucken. Er war kaum mehr als ein Schatten und flitzte mit unglaublicher Geschwindigkeit durch den Garten auf die Mauer zu. Fluchend setzte ich ihm hinterher. Mein müder Körper brauchte einige Augenblicke, um zu realisieren, dass jetzt Tempo angesagt war, und, als ich endlich über die Gartenmauer sprang, war der Verdächtige schon auf dem Weg in Richtung Dunkelheit. Unwillkürlich fragte ich mich, ob er Sportlehrer war. Fast sofort tat ich den Gedanken wieder ab. Der Sportlehrer und eine Schülerin war mir zu klischeehaft. Vielleicht Englisch – oder Erdkunde wie Bailey. Während ich dem unglaublich agilen Mann an einer Reihe Gartenzäunen und Gartenmauern vorbei hinterherjagte, zog ich mein Handy hervor und tippte, ohne richtig hinzusehen, auf Clarkes kleinen Kopf. Bei einem flüchtigen Blick auf meine Hand sah ich erleichtert, dass das Handy tatsächlich tat, was ich wollte.

Ich sprang über eine Pfütze und sah gerade noch, wie Mitchells hinter einer Ecke verschwand. Clarke nahm ab.

„Gibt's Probleme?"

„Kann man so sagen."

„Wo?"

„Den Weg entlang. Auf einer Straße.", ich bekam nur schwer Luft. Die Kälte stach in Hals und Brust beim Laufen.

„Name?"

Ich sah mich um.

„Keine Ahnung. Er ist jetzt auf dem Weg zu einer Kreuzung."

„Mist. Kriegen Sie ihn?"

„Vielleicht. Wenn er stolpert oder so."

„Rennen Sie. Wir kommen hinterher. Bleiben Sie dran.", ein Tuten war zu hören, „Klein. In den Wagen. Unser Lehrer ist flüchtig. Rufen Sie in der Zentrale an – Cartwright, noch dran?"

„Ja, Chef.", ich schlitterte um eine Ecke. Die Gestalt in dünner Übergangsjacke und Jogginghose rannte über einen Zebrastreifen und wurde fast von einem Wagen angefahren.

„Sie sind jetzt auf laut. Sprechen Sie mit uns."

Ich hustete und hetzte quer über die Straße.

„Er ist abgebogen. Hickborne Street, Richtung Stadtkern, glaube ich."

„Fahren Sie, Klein!"

Ich kam Mitchells jetzt näher. Das unregelmäßige Training zahlte sich endlich einmal aus. Er hingegen schien langsam an Kraft zu verlieren.

„Polizei! Stehen bleiben!", rief ich. Manchmal half das. Das bedeutete, eigentlich nie.

„Wir sind auf der Hickborne Street. Wo entlang?", Kleins Stimme.

„An dem Pub vorbei."

„Welcher?"

„Der mit dem Schild.", ich wurde auch schwächer. Lange würde ich nicht aushalten.

„Da drüben.", Clarke.

Irgendwo weit hinter mir konnte ich einen beschleunigenden Motor hören.

„Beeilt euch.", ich fluchte. Mitchells warf einen Spaziergänger um.

„Polizei! Stehen bleiben!"

Er warf einen Blick über die Schulter. Angst stand ihm ins Gesicht geschrieben.

Klein und der Inspektor kamen näher. Das Geräusch des Motors wurde lauter.

„Da, auf dem Bürgersteig.", Clarkes Stimme.

„Hey! Stehen bleiben!", rief ich nochmals. Ich hechtete an einem überraschten Passanten vorbei, der aus einem der Häuser gekommen war. Dann schnellte der Wagen von Klein an mir vorbei. Blaulicht auf dem Dach.

„Endlich.", stöhnte ich.

Mitchells bog in eine kleinere Straße ab und beschleunigte. Es mussten seine letzten Kraftreserven sein. Viel länger würde er nicht mehr laufen können. Auch Klein bog ab und gab Gas. Die Straße war schmal und auf beiden Seiten parkten Autos. Würde jemand von vorne kommen, hätte keiner eine Chance rechtzeitig zu bremsen.

Ich holte so tief Luft wie ich beim Rennen konnte und sprintete Mitchells hinterher. In einer Seitengasse kam Klein quietschend zum Stehen. Mitchells blickte zurück und rannte auf die Straße. Ich hörte den Chef fluchen. Nur noch wenige Meter trennten mich von dem Lehrer. Das Kopfsteinpflaster machte es unglaublich schwer zu laufen.

„Polizei! Stehen –", ich stöhnte, „Bleiben!"

Dann warf ich mich in der Hoffnung nach vorne, dass ich nah genug an ihm dran war. Ich war es nicht. Ich landete der Länge nach auf dem Bürgersteig. Mit dem Kinn schlug ich auf den Stein und mein Kopf brummte sofort wie bei einem Glockenschlag.

„Mist.", das war der Chef. Die Stimme kam von meinem Handy ein Meter vor mir. In diesem Moment sah Mitchells auf mich, schien langsamer werden zu wollen und rannte in einen Fahrradständer hinein. Er knickte um und fiel ebenfalls.

Schnell rappelte ich mich auf. Ich ließ mein Handy liegen und lief so schnell ich konnte los. Mit wenigen Schritten war ich bei ihm. Er versuchte aufzustehen, aber sein Fuß klemmte in den Metallstäben fest. Er konnte von Glück reden, nicht in eins der Fahrräder hineingelaufen zu sein. Das wäre sicherlich übler für ihn ausgegangen. Ich setzte mich neben ihn und drehte ihm die Hände auf den Rücken. Ich wollte ihm Handschellen anlegen, aber scheinbar hatte ich vergessen, sie mitzunehmen. Also kniete ich mich auf seine Hände. Er stöhnte und verzog das Gesicht.

„Was wollen Sie?", er sah mich böse an. Vielleicht sah er auch nur so aus, weil die eine Seite seines Gesichts auf den Asphalt gedrückt war. Ich schmunzelte.

„Sie haben ihr Licht angelassen."

Wenige Minuten später traf die Verstärkung ein. Sie legten dem sichtlich geknickt wirkenden Lehrer Handschellen an und drückten ihn in den Streifenwagen. Auf dem Beifahrersitz meines eigenen Autos wurde ich zurück zur Zentrale gefahren und der ruhigere Teil des Einsatzes begann. Davis, die aus irgendeinem Grund noch auf dem Revier aufgetaucht war, kümmerte sich um die Wunde an meinem Kinn und der Chef kümmerte sich um Mitchells, der in den Verhörraum gesteckt wurde. Klein sorgte für genügend Kaffee/Tee für alle. Ich wollte lieber Tee, keinen Kaffee. Irgendwann wollte ich in dieser Nacht noch schlafen.

Nachdem mein Kinn gereinigt und mit einem Pflaster versehen war, ging ich zum Überwachungsraum, wo wir das Verhör beobachten konnten, ohne wirklich daran teilzunehmen. Gerade ging der Inspektor die Standardfragen durch. Ich fragte Davis, wo Johnson war.

„Er bringt Abbigail und Mr. Matthews nach Hause.", antwortete sie.

„Kann Matthews nicht selbst fahren? Irgendwie muss er ja auch hergekommen sein."

„Abbigail ist wohl gefahren. Er hat schon ein Bier getrunken, als sie zu ihm gekommen ist, und wollte es nicht verantworten zu fahren."

„Aber Abbigail fahren lassen."

„Sie hat den Führerschein."

„Mag sein, aber in ihrer Verfassung hinter dem Steuer.", ich machte ein bedenkliches Gesicht.

Davis zuckte mit den Schultern. Sie deutete auf Mitchells hinter dem Glas.

„Ist er gleich geflüchtet, als er euch gesehen hat?"

„Wir haben geklingelt. Da ist er durch die Hintertür und an mir vorbei."

„Schwache Leistung.", bemerkte sie.

„Ich war müde.", meinte ich, „Außerdem habe ich ihn noch bekommen."

„Und ein hübsches Andenken auch.", sie wies auf mein Kinn.

„Haha.", ich schüttelte den Kopf, „Anderes Thema: In welchem Auto sind sie gekommen?"

„Woher soll ich das wissen? Ich habe sie ja nicht in Empfang genommen.", sagte sie belustigt.

„Meinst du, es steht noch da?"

„Bestimmt. Johnson wird kaum damit fahren dürfen."

Ich nickte und nahm mir vor, bevor ich nach Hause fuhr, einmal einen Blick darauf zu werfen.

„Ich habe nur gesehen, wie ein Schatten in meinem Garten stand, und bin weggerannt. Ich wollte nicht überfallen werden oder so.", antwortete Mitchells auf die Frage, warum er gerannt sei.

„Garten kann man das kaum nennen.", murmelte ich.

„Der Kollege hat deutlich gerufen, dass er von der Polizei ist. Warum sind Sie da nicht stehen geblieben und haben das Missverständnis erklärt?", fragte Clarke.

„Ich dachte, das wäre ein Trick. Das kann jeder sagen. Ich könnte auch jedem hinterherrennen und rufen: He, Polizei! Stehen bleiben.", Mitchells machte eine abweisende Geste, „Wenn mir wirklich einer an den Kragen wollte, wäre ich dann dran gewesen."

„Nun sind wir aber mit Blaulicht hinter Ihnen her gefahren.", sagte der Inspektor.

Mitchells runzelte die Stirn. Er starrte auf seine Hände, die in Handschellen auf dem Tisch lagen.

„Sind Sie das?", er schüttelte den Kopf, „Das habe ich nicht bemerkt. Ich bin um mein Leben gerannt. Da achtet man nicht auf solche Kleinigkeiten."

Davis und ich schnauften belustigt. Wenn wir nicht schon wüssten, dass er zumindest etwas mit dem Mord zu tun hatte, hätte er fast glaubwürdig gewirkt. Fast.

„Das ändert trotzdem nichts an der Tatsache, dass Sie sich gegen Ihre Festnahme gewalttätig gewehrt haben.", bemerkte Clarke.

Das hatte er. Mit einem Tritt gegen Constable Greys Schienbein.

„Das war ein Reflex. Tut mir leid. Ich war nicht ganz bei Verstand. Ich bin hart mit dem Kopf aufgeschlagen. Wahrscheinlich habe ich eine Gehirnerschütterung.", er wollte sich demonstrativ den Hinterkopf reiben, aber seine Handschellen verhinderten es.

„Sie wurden überprüft. Ihnen fehlt nichts. Es wird eine Beule zurückbleiben, mehr aber nicht. Würden Sie sich nun auf meine Fragen konzentrieren?", der Chef wirkte genervt.

Wahrscheinlich wollte er möglichst schnell wieder nach Hause. Wie jeder andere von uns auch. Ich gähnte und das Pflaster an meinem Kinn spannte.

„Wo waren Sie vorgestern Abend zwischen elf und ein Uhr?"

„Wieso?"

Ich verdrehte die Augen. Er war Lehrer. Dummheit war nicht gerade angemessen für sein Berufsfeld. Das sollte er wissen.

„Beantworten Sie bitte meine Frage."

„Wo soll ich gewesen sein? Es war nichts Besonderes. Ich war bei einer Freundin. Sie hat mich zu sich eingeladen."

„Wie heißt Ihre Freundin?", Clarke sah auf die Papiere vor ihm und kritzelte etwas darauf.

„Sie ist nicht – sie ist nicht *meine* Freundin. Wir treffen uns nur so ab und zu.", sagte Mitchells verunsichert, „Ihr Name ist Elizabeth Summerland. Sie wohnt in Adger's Hill."

Clarke hob den Stift in die Luft und machte eine Bewegung, wie als wollte er eine Mücke vertreiben.

„Soll ich?", fragten Davis und ich gleichzeitig. Wir sahen uns an.

„Ich gehe. Du bist verletzt.", sagte sie und klopfte mir auf die Schulter.

„Nee –", ich machte einen Schritt.

„Ach.", sie hob eine Hand und ging los.

„Wie kommt es dann, dass Sie um Mitternacht vor Mr. Richardsons Grundstück gesehen wurden?", der Inspektor faltete gelassen die Hände.

„Ich soll – nein. Das kann nicht sein. Ich war die ganze Zeit bei Elizabeth.", er schüttelte energisch den Kopf, „Wer sagt das?"

„Niemand.", Clarke lächelte, „Es gibt Aufnahmen, die Sie vor dem Tor der Richardsons zeigen. Sie sind dabei, sich unbefugt Zutritt zu dem Grundstück zu beschaffen."

Er zog aus der Mappe vor ihm zwei große Fotos hervor. Wenn ich es recht sehen konnte, waren es die gleichen Ausschnitte, die er uns auch heute Morgen gezeigt hatte.

„Wa –", Mitchells öffnete den Mund, schloss ihn wieder und sah verwirrt auf die Fotos.

„Haben Sie eine Erklärung dafür?"

„Ich – nein. Das bin nicht ich.", er legte den Kopf schief, „Also Ähnlichkeit ist da, aber…nein. Das ist ja ziemlich unscharf. Das könnte jeder sein…"

Ich runzelte die Stirn. Die Bilder waren unscharf, weil mitten in der Nacht nur die Lampe am Tor Licht spendete, aber trotzdem war Mitchells Profil deutlich zu erkennen.

„Wenn Sie mich fragen, sieht Ihnen nur ein Zwilling so ähnlich.", meinte der Inspektor.

Mitchells grunzte.

„Den haben Sie aber nicht. Deswegen frage ich Sie noch einmal: wie erklären Sie sich, dass Sie zur Tatzeit gefilmt wurden, wie Sie über die Mauer zum Grundstück des Ermordeten geklettert sind – obwohl Sie bei einer Freundin waren?"

Beinahe rechnete ich schon damit, dass er behauptete, er hätte doch einen geheimen Zwilling, aber er schüttelte den Kopf und seufzte.

„Also gut."

Ich hob überrascht die Augenbrauen. So schnell hatte ich nicht damit gerechnet, dass er nachgibt.

„Ich war da, ja. Ich bin über die Mauer geklettert, aber ich habe nichts mit dem Mord zu tun.", er blickte den Inspektor ernst an, „Ich wollte mit Mr. Richardson sprechen, aber ich habe mich umentschieden. Ich hielt es für besser, die Sache auf sich beruhen zu lassen."

Clarke rümpfte die Nase.

„Sie haben nicht mit Mr. Richardson gesprochen?"

„Ja. Ich bin wieder umgekehrt. Ich dachte sowieso schon, dass es viel zu verdächtig war, mitten in der Nacht über fremde Grundstücke zu schleichen.", er nickte.

Mir kam das falsch vor. Er war auf einmal so einsichtig und nachgiebig. Seine sture Art fehlte. Das gefiel mir nicht. Ihm musste bewusst sein, dass die Polizei anzulügen, das letzte war, dass ein Mann in seiner Situation tun sollte.

„Wie sieht's aus?", Davis kam zurück.

„Er streitet weiterhin ab. Allerdings hat er zugegeben, dass er bei Richardson war. Er hätte aber nicht mit ihm gesprochen.", erklärte ich.

„Wie? Was hat er dann da gemacht?"

„Keine Ahnung. Er meinte, er hätte sich umentschieden, sei zu verdächtig.", ich zuckte mit den Schultern.

„Ach, das ist doch lächerlich.", Davis verzog ärgerlich das Gesicht, „Außerdem wissen wir ja, dass er da gewesen ist. Abbigail hat mit ihm gesprochen."

„Ehrlich? Das hat sie nicht gesagt."

„Doch, aber erst als ihr schon los wart. Johnson hat es aus ihr herausbekommen."

„Warum hat sie das nicht schon vorher erzählt? Dann könnten wir alle schon beruhigt im Bett liegen.", meinte ich und rieb mir die Augen.

„Ich denke mal, sie wollte ihn decken.", sagte Davis, „Außerdem –"

„Ist gut. Ich kann's mir denken. Ich war ja dabei. Ihr geht's nicht gut.", unterbrach ich sie, „Kann man ihr nicht verübeln…"

Der Inspektor zeigte Mitchells gerade den Auszug aus dem Chatverlauf zwischen ihm und Abbigail. Der Lehrer las sich den Text mehrfach mit besorgt gerunzelter Stirn durch.

„Weiterhin haben wir die Aussage von Abbigail Richardson, dass Sie während Ihrem kurzen Aufenthalt im Haus der Familie mit ihr gesprochen haben.", der Chef trank einen Schluck aus einer dampfenden Tasse, „Warum belügen Sie mich, Mr. Mitchells?"

Er schob den Ausdruck zum Inspektor zurück, wobei die Handschellen rasselten.

„Ich weiß, das sieht jetzt alles ziemlich verdächtig aus.", begann er mit dem Blick nach einem Ausweg suchend.

„Ja, kein Scheiß.", Davis lachte auf.

Ich schnaufte belustigt und kratzte mich am Kinn. Sofort zuckte ich zurück. Das Pflaster. Ich fluchte lautlos und steckte die Hände in die Hosentaschen.

„Deshalb sind Sie hier, Sir.", sagte Clarke.

„Ja, stimmt schon. Die Sache ist die…", er räusperte sich, „Gut, ich habe mit Richardson gesprochen. Wir sind auch zusammen weggegangen. Aber ich habe ihn nicht ermordet. Das stimmt nicht. Damit habe ich nichts zu tun."

„Es sieht aber sehr danach aus. Sie suchen sich ein falsches Alibi, wobei Sie eine unbeteiligte Person zu einer Straftat anstiften.", der Inspektor hob die Hand mit dem Stift und wies zur Tür.

„Oh, ja.", Davis wurde rot und lief in den Flur und trat eine Sekunde später vorsichtig in den Verhörraum, „Tut mir leid, Inspektor. Ms. Summerland hat die Geschichte bestätigt."

„Sehen Sie. Da können Sie Ihrer Freundin gratulieren. Sie hat soeben eine Falschaussage gemacht.", der Chef schüttelte langsam den Kopf, „Sie öffnen der Polizei nicht die Tür und fliehen auch noch vor uns."

„Ich wollte nicht fliehen!", Mitchells hob wütend einen Finger, „Das habe ich schon gesagt."

„Was haben Sie dann im Garten gesucht, Mr Mitchells? Mitten in der Nacht in den Garten zu gehen ist recht ungewöhnlich, möchte ich meinen."

„Die Katze.", der Lehrer nickte ernst, „Ich habe nach der Katze gesehen. Sie läuft oft nachts noch draußen herum."

„Ha!", Davis lachte. Sie war wieder zu mir getreten.

„Jetzt macht er sich wirklich zum Affen.", sagte sie.

„Vor allem: was will er damit bezwecken? Wir haben so gut wie alles, was wir brauchen, um den Fall abzuschließen.", meinte ich und musterte ihn verwirrt.

„Warum haben Sie nicht erst die Tür aufgemacht? Wir haben geklingelt. Normalerweise bedeutete das, dass jemand mit Ihnen sprechen möchte. Und außerdem steht niemand bei der Kälte gerne lange draußen herum.", erwiderte Clarke.

Ich sah schon, wie ihm die Worte „Katzen stehen auch nicht gerne bei der Kälte draußen." aus dem Mund kamen, aber er schien sich zu besinnen und schloss den Mund, bevor irgendein Laut herauskommen konnte.

„Wahrscheinlich zielt er genau darauf ab."

„Hm?", ich sah Davis an.

„Dass wir nur *so gut wie* alles haben, das wir brauchen. Wir haben keinen Beweis, dass er Richardson getötet hat. Wir haben nur, dass er mit ihm gesprochen hat und weggegangen ist. Uns fehlt die Tatwaffe oder ein Zeuge."

„Stimmt. Aber warum lügt er uns immer noch an? Er hat zu Hundertprozent keine Katze. Außerdem zeigt sonst alles auf ihn. *Alles*.", sagte ich.

„Okay, wissen Sie, man bekommt ziemlich Angst, wenn mitten in der Nacht zwei Wagen vor der Tür vorfahren und Leute in dunklen Mänteln aussteigen und klingeln.", erzählte Mitchells.

Ich schnaufte. Der einzige mit einem dunklen Manteln war ich gewesen. Clarkes Mantel war hellgrau und Klein hatte eine Fleecejacke getragen. Wenn ich mich recht erinnerte, in blau.

„Und dann will ich mich hinten herum wegschleichen und sehe einen Typen bei mir im Garten. Da bekommt ein normaler Bürger nun mal Angst.", meinte er. Das klang sogar ziemlich ehrlich.

„Vielleicht ist er ja tatsächlich unschuldig.", murmelte Davis, aber an ihrem Gesichtsausdruck merkte ich, dass sie selbst nicht richtig daran glaubte.

„Ein normaler Bürger sollte vor der Polizei keine Angst haben.", erwiderte der Chef, „Jemand, der keinen Dreck am Stecken hat, rennt nicht gleich los, wenn die Polizei um Hilfe bittet."

„Ja, gut. Aber ich bin nicht wie jeder.", er zögerte und sah zur Decke, „Ich habe, wie Sie sagen...äh...Dreck am Stecken..."

Davis und ich seufzten. Es würde den Leuten und der Polizei einen großen Gefallen tun, wenn die Befragten nicht immer durch ihre Schuldgefühle, Gewissensbisse und kleinen Geheimnistuereien die halbe Ermittlung lahm legten. Leider kam das nur allzu häufig vor.

„Mr. Mitchells, hier geht es nicht um irgendein kleines Vergehen. Es geht um Mord. Ein Mann, ein Ehemann, Vater von vier Kindern, wurde getötet. Wenn Sie weiter um den heißen Brei herumreden, dann können Sie gerne selbst den vaterlosen Kindern und der Witwe erklären, warum Sie uns verdammt noch mal nicht die Wahrheit sagen! Oder noch viel besser: sagen Sie Ihnen, warum Sie Richardson umgebracht haben. Dann geht es ihnen bestimmt besser und wir können alle zu Bett gehen, weil Sie im Kittchen sitzen!", der Inspektor schlug mit der Faust auf den Tisch, dass die Holzplatte bebte. Sein Gesicht war ruhig geblieben, aber seine Pulsader trat aus seiner Haut heraus und pochte wütend.

Mitchells saß still und etwas kleiner als zuvor in seinem Stuhl und betrachtete unsicher sein Gegenüber. Ich rieb mir die Wange. Clarke wurde selten wütend, noch seltener richtig laut. Meistens beherrschte er sich und blieb bei einem tadelnden Tonfall und einem bösen Blick.

„So – ich...", Mitchells rutschte in seinem Stuhl etwas hoch, „Ich meine...ich – äh...ich hab's getan..."

Eine Erleichterung, eine Entspannung war durch die Scheibe zu spüren. Ein gemeinsames Aufatmen von Davis, dem Chef und mir ging durch den Raum. Endlich. Er hatte gestanden. Meine Schultern entspannten sich und ich stellte mich gemütlicher hin. Davis fuhr sich mit der Hand durch die Haare.

„Dann möchte ich Sie bitten –"

„Aber ich habe es nicht gewollt. Ich wollte das nicht tun! Ich wollte wirklich nicht, dass er stirbt. Ich wollte nur vernünftig mit ihm reden. Wirklich. Ich wollte nicht...", Trauer stieg in das Gesicht des Lehrers, „Wir haben uns darüber unterhalten, wie es Abbigail geht und, und dass er ihr mehr Freiheiten lassen möchte, dass er ihr mehr Verantwortung übertragen wollte...er war vernünftig. Hat sich alles angehört. Hat nicht unterbrochen und auch nicht gleich dicht gemacht, als ich ihm meine Kritik vorgetragen habe...ich wollte das alles nicht."

Er schüttelte den Kopf und legte ihn auf den Tisch, was wahrscheinlich einem Kopf in den Händen Vergraben am nächsten kam, jetzt da seine Hände in der Tischmitte angeschlossen waren.

„Er hat gesagt, er hatte wieder Bailey in Verdacht, dass er etwas mit Abbigail zu tun hatte. Er hat gedacht, dass sie Teil seiner Gruppe war. Dass er etwas mit ihr hatte. Dann hat er gesagt, dass er erfahren hat, dass Bailey gar nichts mit Abbigail zu tun hatte.

Dass es ihm leid tat, meinen Kollegen so gedemütigt und verletzt zu haben, einfach aus der Angst heraus, seine Tochter könnte da mit drin stecken...das hat mich wütend gemacht. Abbigail sollte doch selbst entscheiden können – und Bailey ist ein guter Mensch..."

Und dann hatte Richardson von dem Privatdetektiv erzählt. Er hatte herausgefunden, dass Abbigail viel mit Mitchells tat. Dass sie sich nach der Schule lange noch unterhielten. Da hatte Richardson wieder den Verdacht bekommen. Er hat Mitchells weiter beschatten lassen. Als dieser das hörte, war er so wütend geworden, dass er Richardson bedrohte. Der wollte weiterreden, aber Mitchells hatte genug von dem Mist gehört, den der überbesorgte Vater von sich gab. Aus Wut und Frustration heraus stach er auf den Mann ein. Erst als Richardson zu Boden sank, konnte dieser in seinen letzten Atemzügen sagen, dass es ihm leid tat und er den Detektiv entlassen hatte. Dann war er tot gewesen.

Kapitel 15 – Mist

Mitchell beendete seine Aussage mit den Worten: „Ich habe es getan, aber ich wünsche mir wie kein anderer, dass es nicht so wäre. Er hat das nicht verdient. Abbigail hat das nicht verdient."

Dann war er nicht mehr mein Problem. Der Chef entließ uns in die Nacht. Davis und ich unterhielten uns nur kurz über das Geschehene. Es musste viel verarbeitet werden. Kein Mord war wie der andere, trotzdem war man nach jedem abgeschlossenen Fall gleichermaßen neben der Spur. Während den Ermittlungen konnte man sich Gedanken, Gefühle und Momente des ziellosen Verarbeitens nicht leisten. Deshalb prasselte alles nach Feierabend auf einen ein. Und jeder ging damit anders um. Ich wusste, dass Clarke sich nach jedem Fall ein Glas Gin (oder zwei oder drei) genehmigte und den Abend still in seinem Sessel saß und Chopin hörte. Das hatte er einmal erzählt, als wir zu sehr später Stunde noch auf Observation waren und uns die Gesprächsthemen ausgegangen waren. Von Johnson andererseits wusste ich, dass er oft einen drauf machte. Gerne mal weniger besonnen. Bei den anderen wusste ich es nicht.

Auch ich hatte keinen richtigen Rhythmus, keine Tradition oder Routine. Mich traf jeder Fall an einer anderen Stelle. Deswegen war mir nach manchen eher nach zwischenmenschlicher Nähe, nach anderen eher nach einem Abend wie Clarke ihn vor sich hatte. Und wenn es sehr kritisch wurde, sehnte ich mich nach nichts mehr als nach der Stille des Kosmos und den endlosen Weiten des Weltraums.

Nachdem ich ein paar Mal um den Audi herumgegangen war, setzte ich mich in mein eigenes weniger teures Auto und fuhr zu Alice. Ohne viele Worte schaltete ich den Fernseher aus, ging ins

Bad und zog mich aus. Müde und erschöpft wollte ich mich ins Bett legen, doch, als ich ins Schlafzimmer ging, empfing mich Alice aufrecht sitzend und mit eingeschalteter Nachttischlampe.

„Warum bist du noch wach?", fragte ich und kratzte mich am Kinn. Ich zuckte und ließ es sein.

„Setz dich.", sie wies neben sich. Ich schluckte. Sie sah ernst aus.

„Wie war's? Weshalb musstest du noch mal los?"

Sie lächelte müde und legte mir eine Hand auf die Schulter.

„Es gab neue Informationen. Wir mussten handeln.", sagte ich abwinkend, „Aber jetzt ist alles geklärt."

„Gut.", sie lehnte sich an mich und stützte ihren Kopf auf meine Schulter. Etwas zurückhaltend drückte sie ihre Lippen an meine Wange.

„Was ist los? Warum bist du noch wach?", fragte ich vorsichtig.

Sie seufzte leise und starrte in die Ferne.

„Brian hat angerufen. Er kommt morgen wieder."

Ihre Hand legte sich um meinen Hals. Sie ließ den Kopf hängen und ich kippte mit ihr nach hinten ins Kissen.

„Mist.", sagte ich.

Sie nickte.

„Ja, Mist. Er meinte, seine Tante feiert Geburtstag. Da hat er die Gelegenheit am Schopf gepackt und gekündigt."

Ich starrte die Decke an und biss mir auf die Lippen. Mist.

„Warum gekündigt?"

Sie ließ ihre Hand geistesabwesend über meinen Bauch kreisen.

„Keine Ahnung, hat er nicht gesagt."

Mein Herz klopfte irgendwo in unbestimmten Ecken meines Körpers. Wie gelähmt lag ich da. Alices Wärme war fern. Ihre Stimme leise.

„Morgen?", fragte ich mit trockenen Lippen.

„Ja.", sie holte tief Luft, „Ja, morgen. Gegen elf landet er."

Stille entstand. Wir beide starrten in unterschiedliche Richtungen, leise atmend, mit seltsam fremd pochenden Herzen. Mir wurde kalt. Nicht von der Luft, von innen heraus.

„Und was machen wir?", ich traute mich kaum, es auszusprechen.

Wieder seufzte sie. Diesmal strich ihre Hand über meine Wange. Sie kuschelte sich enger an mich.

„Du machst gar nichts. Das ist mein Mist."

In ihrer Stimme lag etwas Bestimmtes, etwas Endgültiges. Aber auch ein Zögern und eine Angst. Eine Angst, die auch ich spürte. Ich öffnete den Mund.

„Nein. Ich mache das. Irgendwie. Du hältst dich da raus.", sie legte die Decke über uns, „Ich möchte nicht, dass du am Ende schlecht da stehst, nein…"

Ein leichtes Kopfschütteln kitzelte an meiner Brust. Ich seufzte.

„Aber ich bin da schon drin.", erwiderte ich leise. Die Müdigkeit übernahm langsam den Schock.

„Und? ...ich bin die Schuldige. Ich bin verantwortlich, du –
...du bist bloß hineingerutscht."

„Nein, ich bin auch verantwortlich –"

„Jetzt ist gut.", ihre Stimme war weich, beinahe wie Zucker-
watte, „Es muss niemand wissen, dass du darin verwickelt bist.
Geh morgen früh und lass mich das regeln. Danach sehen wir weiter."

Ich nickte stumm. Ich wollte jetzt nicht streiten.

„Gute Nacht.", sie küsste meine Wange und knipste das Licht
aus.

„Gute Nacht.", flüsterte ich.

Die plötzliche Dunkelheit im Zimmer verschluckte mich. In mir
zog sich alles zusammen und verkrampfte sich. Mein Kopf
brummte vor Müdigkeit. Meine Augen schmerzten, aber ich
konnte sie nicht schließen. Ich musste an den kommenden Morgen
denken. Angst ließ mein Herz schneller pochen. Wieder stieg mir
Säure den Rachen empor. Ich biss mir auf die Lippen und drehte
mich auf die Seite. Selbst unter der Decke war mir kalt. Ich zog
meine Beine eng an den Körper und versuchte einzuschlafen. Jedes
Mal, wenn ich gerade an einen Punkt angekommen war, wo mir
die Augen zufielen, riss ich sie wieder auf und drehte mich auf die
andere Seite. So sehr ich mich nach Schlaf sehnte, ich konnte
meine Gedanken nicht zur Ruhe bringen. Immer wieder schoss mir
durch den Kopf, was passieren könnte, wie es danach weiter gehen
könnte. Schließlich, schon früh am Morgen, schloss ich die Augen
und schlief unruhig ein.

Alice weckte mich. Sie sah nicht glücklich aus. Sie strahlte nicht wie sonst. Ihr Gesicht hatte etwas Begräbniswürdiges. Wir sprachen nur wenig. Ich zog mich an und wir frühstückten gemeinsam. Mein ganzer Körper schrie nach Schlaf und Erholung, aber ich unterdrückte diese nebensächlichen Belangen mit mehreren großen Schlucken Kaffee. Nach einer kurzen Dusche packte ich, was ich bei ihr herumliegen hatte, in eine Sporttasche von ihr und verabschiedete mich mit einer wenig herzlichen, melancholischen Umarmung.

Bevor ich das Auto startete, saß ich einige Augenblicke gedankenverloren hinter dem Steuer und beobachtete ihre Haustür. Die Radionachrichten begannen und ich fuhr los. Ohne bei mir vorbeizuschauen, fuhr ich zur Zentrale. Ich wollte mich nicht meiner eigenen Einsamkeit hingeben und vielleicht hatte der Chef Arbeit für mich.

Zu meiner Überraschung gab es außer der üblichen Aktenarbeit auch eine Aufgabe. Ich gab Laura Bescheid, dass ich die Aufgabe übernehmen würde, und setzte mich wieder ins Auto. Ich sollte zu den Richardsons fahren und etwas abholen, das Mr. Matthews gefunden hatte. Aus einer Laune heraus machte ich einen Umweg und fuhr über die hügeligen Kleinstraßen, die sich durch die Felder schlängelten.

Zwanzig Minuten nach der eigentlichen Ankunftszeit fuhr ich bei den Richardsons vor dem Tor vor.

Matthews erwartete mich bereits dahinter. Er öffnete mir das Tor und bat mich, gleich dahinter am Wegrand zu parken.

„Ich dachte mir, Sie würden gerne sehen, wo ich es gefunden habe. Wobei nicht ich, sondern Winston es gefunden hat.", er lächelte schmal und der Hund an seiner Seite sah mich treuselig an, „Er hatte es einmal im Maul, ich hoffe das ist nicht schlimm."

„Vielen Dank. Ich glaube, das sollte kein Problem sein.", erwiderte ich freundlich und zog ein Paar Einmalhandschuhe und eine Beweismitteltüte aus meiner Manteltasche hervor. Vorrätig hatte ich immer einige dabei. Man wusste ja nie.

„Da vorne, bei dem großen Busch.", Matthews deutete auf ein Geäst an der Mauer.

Ich nickte und ging zu der Stelle, zückte mein Handy und knipste ein paar Fotos für die Beweissicherung.

„Sie haben es nicht angefasst?", fragte ich.

„Nein, nur Winston."

Ich zog die Handschuhe an und nahm das Ding in die Hand. Es war dreckig und – wie ich vermutete – Blut verschmiert, aber es war eindeutig zu identifizieren.

„Ist der aus ihrer Sammlung?", ich hielt es hoch und ließ es in den Beweismittelbeutel fallen.

„Ja, es sieht danach aus.", nickte Matthews.

„Gut, ich werde es mitnehmen und der Spurensicherung geben. Vielleicht können die etwas damit anfangen.", sagte ich und stapfte zurück zum Wagen, „Der Inspektor wird heute wahrscheinlich noch einmal vorbeikommen und mit Mrs. Richardson sprechen, damit wir die Ermittlungen abschließen können."

Ich legte den Schraubendreher und die Einmalhandschuhe in den Kofferraum und schloss die Klappe mit einem Knall.

„Dürfte ich Sie noch um eine Sache bitten, Sir?", Matthews löste die Leine von Winston.

„Worum geht es?", fragte ich neugierig.

„Ich muss noch den Wagen von Ihrem Revier abholen. Könnten Sie mich mitnehmen? Ansonsten bestelle ich ein Taxi, aber ich dachte, Sie müssen sowieso dahin zurück."

Ich überlegte eine Sekunde.

„Steigen Sie ein.", ich nickte und wies zur Beifahrertür.

„Vielen Dank. Ich muss nur Winston schnell zurückbringen. Mrs. Richardson mag es nicht, wenn er allein über das Gelände läuft.", erwiderte er und warf einen Ball aus seiner Tasche den Weg hinunter. Winston jagte fast sofort hinterher und schnappte sich aufgeregt das bunte, runde Etwas.

„Dauert nicht lange.", meinte er.

„Kein Problem. Ich habe es nicht eilig.", winkte ich ab und setzte mich auf den Fahrersitz.

Im Rückspiegel beobachtete ich, wie er dem Hund nachging und immer wieder den Ball aufs Neue warf.

Laut seufzend ließ ich den Kopf in die Lehne fallen und stellte das Radio ein. Meine Augen waren müde und mein Magen war wie durch einen Fleischwolf gedreht. Mein Kopf konnte an nichts anderes denken als an Alice und die bevorstehende Ankunft von Brian. Es ist ein Desaster, sagte eine Stimme andauernd in meinem Kopf. Ich rieb mir aggressiv die Augen als würde davon mein Kopf aufhören zu denken.

Irgendwann war Fred nicht mehr zu sehen und ich rammte meinen Kopf gegen das Seitenfenster. Das einzige, das das bewirkte, waren Kopfschmerzen und ein stärkeres, unbestimmtes Dröhnen in mir. Also drehte ich das Radio lauter. Die Moderatorin sprach über irgendwelche Deals und Pläne und Premiers und Minister, aber ich hörte nicht zu und wechselte den Sender.

Als Matthews wieder zu sehen war und näher kam, zog ich mein Handy hervor und schickte eine Nachricht an Davis. Dann starrte ich auf den Chat mit Alice. Keine neue Nachricht. Ich fluchte. Es war wie das Warten auf Weihnachten nur andersherum. Ich wollte es nicht und Geschenke würde ich auch nicht bekommen – womöglich Kohlestücken.

Plötzlich wurde die Beifahrertür geöffnet und ich schrak zusammen.

„Entschuldigen Sie. Ich wollte Sie nicht erschrecken.", Mr. Matthews stand in der Tür.

„Ach, nein. Kein Problem. Steigen Sie ein.", ich legte schnell das Handy beiseite und drehte das Radio leiser.

Stumm setzte sich der Mann und zog die Tür zu. Ich startete den Motor und wir fuhren durch das offene Tor auf die Straße. Matthews stieg aus, schloss das Tor und setzte sich wieder.

Dieses Mal machte ich keinen Umweg. Ich wählte den direkten Weg. Fred wollte wahrscheinlich nicht eine halbe Stunde später am Ziel ankommen.

Nach einer Weile räusperte er sich.

„Entschuldigen Sie?"

„Ja.", brummte ich.

„Ich weiß nicht, ob die Frage unangemessen ist, aber…geht es Ihnen gut?", er sah mich von der Seite besorgt an, „Sie sehen, wenn ich das so sagen darf, ziemlich mitgenommen aus."

Gut beobachtet. Ich musste schmunzeln.

„Die Frage ist keinesfalls unangemessen. Und ja. Ja, ich bin ziemlich mitgenommen. Ich habe auch nicht besonders gut geschlafen.", antwortete ich. Ich fand, dass die Wahrheit immer schöner war als eine unnötige Lüge zu erzählen.

Mr. Matthews nickte.

„Was macht Ihnen Sorgen?"

Ich zögerte und kratzte mich an der Wange.

„Eine Sache zwischen mir und einer Freundin.", ich zuckte mit den Schultern.

„Ach so.", Fred nickte und wandte den Blick wieder der Straße zu.

„Wissen Sie, dass wir den gleichen Namen haben?", fragte ich.

„Ja, das ist mir aufgefallen. Matthew Cartwright, richtig?", er lächelte.

„Stimmt. Ist irgendwie lustig, finden Sie nicht? Ich meine, es ist nichts Besonderes, aber...", ich warf dem Mann einen kurzen Blick zu.

Sein wettergegerbtes Gesicht zierte ein fröhliches Lächeln.

„Ja, schon."

„Darf ich Ihnen auch eine Frage stellen, Mr. Matthews?"

„Nur heraus damit."

„Wissen Sie, was aus Ms. Harris werden wird? Mrs. Richardson schien nicht mit ihr zufrieden zu sein."

Er zuckte mit den Schultern.

„Ich weiß nicht. Sie würde am liebsten bleiben und ich denke, alle außer Mrs. Richardson selbst sehen das genauso. Vielleicht muss sie gehen, aber ich denke, es findet sich immer jemand, der gerne eine Hilfe im Haus hätte. In ihrem Alter findet man auch gut neue Anstellungen."

„Und was ist mit Ihnen? Bleiben Sie?"

Er machte eine unbestimmte Geste.

„Ich denke mal, jetzt da er nicht mehr da ist, wird sie einiges anders machen, aber ich glaube nicht, dass sie aus dem Haus ziehen wird. Für den Garten braucht sie also immer jemanden. Vielleicht stellt sie jemand Jüngeren ein oder ein Team, das alle paar

Wochen kommt.", er sah aus dem Fenster, „Ich hoffe nur, dass ich Winston behalten kann. Von den Kindern kann keiner so richtig mit einem Hund umgehen. Da habe ich ein wenig Angst, dass sie Winston an ein Heim abgeben, sollte ich nicht mehr da sein, um mich um ihn zu kümmern."

„Dann hoffe ich für Sie, dass es gar nicht so weit kommt und Sie bei den Richardsons bleiben können.", meinte ich.

„Vielen Dank."

Wir fuhren auf den Parkplatz, wo schon Richardsons Audi auf die Abholung wartete.

„Machen Sie's gut, Sir.", sagte ich, als wir ausstiegen, „Lassen Sie sich von Mrs. Richardson nicht unterkriegen."

„Danke.", er lachte, „Ich werde es versuchen. Sonst habe ich noch Maisie. Sie füttert mich sicher durch."

„Grüßen Sie schön.", ich hob die Hand und ging zur Tür.

„Auf Wiedersehen.", er hob ebenfalls die Hand und stieg in den Wagen ein.

Er wirkte völlig fremd in dem großen, sauberen Auto. Ein Typ wie er passte nicht zu einem so protzigen Auto. Solch ein Auto war für Angeber und herablassende Geizhälse. Etwas, das er überhaupt nicht war, und etwas, das vielleicht auch Mr. Richardson nicht mehr sein wollte.

„Warum wolltest du wissen, wo ich bin?"

Davis und ich standen an der Keksdose zwischen Lauras Platz und der Kaffeemaschine.

„Ich wollte wissen, ob du im Einsatz bist.", ich biss in ein schokoladenüberzogenes Exemplar.

„Bin ich nicht. Weshalb interessiert dich das? Der Fall ist abgeschlossen.", sie schlürfte an ihrem dampfenden Getränk.

„Ich habe eine Idee, die funktioniert aber nur, wenn es der Chef zulässt.", meinte ich.

„Okay. Das klingt nicht gut. Worum geht es?"

„Warte, ich frage ihn mal. Laura – ist der Chef hier schon vorbeigekommen?"

Sie wandte sich um.

„Ja, er ist gerade in seinem Büro. Zumindest wollte er da vorhin hingehen.", antwortete sie.

„Gut, dann gehe ich zu ihm.", ich legte meinen Keks auf die Untertasse von Davis' Kaffee.

„Aber was willst du –", Davis sah mich verwirrt an.

Ich winkte ab und ging ins Büro zum Chef.

Zwei Minuten später kam ich wieder heraus. Ich ging entschlossen zu meinen Kollegen, schnappte mir meinen Keks und lud Davis ein, mitzukommen.

„Wohin denn? Haben wir einen Fall?", fragend folgte sie mir auf den Parkplatz.

„Nein. Ich habe uns freigeben lassen.", erwiderte ich.

„Warum denn das?", sie wirkte sichtlich entsetzt.

Ich drehte mich um und versuchte, eine neutrale Miene aufzusetzen, aber das ungute Gefühl in meiner Magengegend machte es mir schwer.

„Ich brauche heute mal eine Auszeit. Ich dachte, es wäre nett, dich mitzunehmen. Wenn du Lust hast, bist du freigestellt. Ansonsten musst du hier bleiben und dich um die Akten kümmern oder so.", ich wies auf meinen Wagen.

„Wenn du mir sagst, was das Ganze soll.", sie seufzte.

Wir stiegen ins Auto und ich fuhr los.

Nach zwei Minuten auf der Straße drehte sich Davis zu mir.

„Ist es wegen dem Fall oder wegen jemand anderem?", fragte sie vorsichtig. Ihr vorwurfsvoller Tonfall war abgeklungen. Sie schien sich ganz gut damit abgefunden zu haben, für den Rest des Tages nicht mehr arbeiten zu müssen.

Ich nickte und mein Herz rutschte ein Stück tiefer. Es war wegen jemandem.

„Ist etwas passiert?"

„Nei –", ich schüttelte den Kopf. So richtig war nichts passiert. Das einzige, das seit gestern Abend anders war, war Brian. Er war auf dem Weg hier her, wahrscheinlich schon bald im Landeanflug.

„Das klingt nicht überzeugt.", bemerkte Davis.

„Ja…nee.", ich zuckte mit den Schultern.

„Wenn du mich schon entführst, dann kannst du mir auch ein bisschen etwas erzählen. Immerhin scheinst du mich ja dabei haben zu wollen."

Da hatte sie recht. Irgendwie wollte ich sie dabei haben. Irgendwie aber auch nicht. Es war sehr…persönlich. Da wollte ich nicht…

„Ja, irgendwie.", ich nickte, „Es ist nur…am liebsten möchte ich niemandem davon erzählen, weil es einfach absurd und bescheuert ist, aber – andererseits möchte ich nicht allein sein, weil…,weil ich lieber nicht allein sein möchte. Und mit Johnson zum Beispiel...nein. Der ist nicht der Richtige für ein solches Thema...ach..."

Ich verstummte. Egal, wie ich es ausdrückte, kam es mir falsch vor. Nicht richtig. Ich kam mir sowieso wie ein Idiot vor. Wieso hatte ich mir vom Chef freigeben lassen, weil es mir nicht so gut ging? Das war lächerlich. Ich schüttelte den Kopf. Ich war erwachsen und nicht fünfzehn. Mit geröteten Wangen wagte ich, zu meiner Sitznachbarin zu schielen. Sie musterte mich.

„Also geht es um Alice und dich?", fragte sie nach langer Stille.

„Jah..."

„Ich möchte dich zu nichts drängen, aber, aber du scheinst ja darüber sprechen zu wollen oder zumindest dich aussprechen zu wollen.", sagte sie ruhig, „Ich höre dir gerne zu. Dafür sind gute Kollegen da."

Ich bezweifelte, dass alle Kollegen so dachten. Die meisten waren froh, wenn sie möglichst wenig von den anderen mitbekamen und pünktlich zum Feierabend zu Hause sein konnten.

„Die Sache ist die...", ich kratzte mich am Kinn. Das Pflaster wurde langsam nervig.

„Die Sache ist die...Alice und ich sind schon seit einigen Wochen so...so pseudo zusammen.", ich fühlte mich, als müsste ich mich übergeben – ich war nicht gut, wenn es darum ging, über Gefühle zu sprechen, „Und gestern hat sie einen Anruf bekommen. Brian kommt heute wieder, ihr Freund."

Kapitel 16 – Anfänger und Sünder

Davis' Gesicht nahm schlagartig die Farbe von reinstem chinesischem Porzellan an.

„Oh.", sie war überrascht.

Ich nickte. So ungefähr musste ich gestern auch ausgesehen haben. Nur dass ihr Herz jetzt wahrscheinlich nicht unkontrollierbar schnell schlug und ihr nicht zum Kotzen war.

„Ja. Oh.", sagte ich und bog ab. Wir waren bei Richardsons Golfclub angekommen. Ich fuhr auf den Parkplatz und schaltete den Motor ab.

„Wir sind da."

Scheinbar hatte ich Davis die Sprache verschlagen. Stumm schnallte sie sich ab und stieg aus. Ich folgte ihr und wir gingen gemeinsam zum Tresen. H. Carter vom letzten Mal begrüßte uns freundlich.

„Was kann ich für Sie tun?"

Ich fragte nach Golfausrüstung und der Möglichkeit zu spielen.

„Sie können sich etwas leihen.", er sah auf seinen Computer, „Spielen könnte schwierig werden, aber wenn sie wollen, kann ich Ihnen etwas Platz schaffen und Sie gehen so lange zum Übungsplatz?"

Ich bejahte und nahm Davis mit zu den Golfausrüstungen ein paar Türen weiter. Während wir uns erklären ließen, was am besten zu uns passte, was man am besten vermeiden sollte und solche Sachen, beobachtete sie mich mit einer Mischung aus Mitleid und

Verwirrung. Ich hoffte, ich hatte sie nicht verschreckt. Das hätte mir zu diesem Tag auch noch gefehlt.

Genauso hätte ich auf die Nachricht verzichten können, die ich auf dem Weg zum Übungsplatz bekam.

„Er kommt zum Mittag zu mir."

Ich steckte das Handy tief in meine Hosentasche und versuchte, mich auf die Anweisungen des Golftrainers zu konzentrieren, der sich freundlicherweise bereiterklärt hatte, uns zwei Minuten eine Einweisung in die Materie zu geben.

Als er ging und ich meine ersten Schläge über eine weite Wiese machte, brach Davis ihr Schweigen.

„Also hat sie ihn mit dir betrogen?"

Es musste einmal ausgesprochen werden. Ich hätte es nie im Leben unausgesprochen lassen können. Es hätte mich wahrscheinlich zerfressen.

„Jap.", ich legte einen weiteren Ball auf die Abschlagfläche.

„Weiß er das?"

„Nö.", ich holte aus und ließ den Schläger gegen den Ball schnellen. In hohem Bogen flog er zehn Meter weit. Bisher Rekordweite.

Davis lehnte an der Wand des großen Unterstands, von dem aus ich und zwei andere unsere Bälle schlugen.

„Und werdet ihr es ihm sagen?"

Ich zuckte mit den Schultern.

„Ich denke mal, sie wird es ihm irgendwie verdeutlichen."

Ein langgezogenes Atmen war von meiner Kollegin zu hören.

Ich legte mir einen weiteren Ball zurecht.

„Warum hat sie nicht schon vorher mit ihm Schluss gemacht?"

Eine gute Frage. Ich hatte sie mir auch schon gestellt.

„Er ist nach Frankreich oder so gegangen. Sie sollte hier bleiben. Da hatte sie nicht richtig die Gelegenheit, es ihm eindeutig zu erklären."

„Verstehe.", sie nickte.

Ich verfehlte den Ball und fiel beinahe hin.

„Und wie fühlst du dich?"

„Beschissen.", sagte ich und holte erneut aus.

„Aber es wird doch einen Grund gegeben haben, warum sie sich für dich entschieden hat. Das muss doch sogar ihm klar gewesen sein. Man merkt doch, wenn es nicht mehr läuft.", meinte sie.

„Ja, schon. Sie hatten schon länger ein paar Probleme.", ich hielt inne und überlegte, „Sie haben sich ab und zu gestritten. Aber trotzdem – es ist beschissen."

„Kann ich mir vorstellen.", sie löste sich von der Wand und griff nach einem Schläger, „Aber wenn sie mit ihm jetzt Schluss macht, dann – also es ist nicht schön – aber dann könnt ihr ja trotzdem zusammen sein."

Ich seufzte und biss mir auf die Lippen. Es drohte mich innerlich zu zerreißen. Eine Träne benetzte mein Auge. Ich musste mich setzen.

„Ja, aber Brian und ich sind… wir sind eigentlich beste Freunde.", es schmerzte die Worte auszusprechen. Ich hätte schreien können.

„Mist."

Ich nickte.

Wir spielten einige Runden lang auf dem Übungsplatz und zogen dann weiter, um es bei den richtigen Plätzen zu versuchen. Wenn ich den Angestellten richtig verstanden hatte, gab es verschiedene Schwierigkeitsstufen. Wir starteten mit „Anfänger." Es war sogar ganz witzig und machte Spaß. Wir waren nicht besonders gut – genauer gesagt grottenschlecht – aber wir schafften immerhin auch, die Bälle nach unzähligen Versuchen einzulochen.

So verging der Vormittag und ich war ausreichend abgelenkt. Als wir zum Mittag in dem Café saßen, wo wir einen Tag zuvor Dr. Martins getroffen hatten, ging es mir geringfügig besser. Wir aßen Fisch 'n Chips und tranken eine Cola (ich) und ein Bier (Davis). Als wir gerade dabei waren, uns über Kürzungen und Sparpläne aufzuregen, brummte mein Handy.

Ich stockte und verschluckte mich fast an der Cola.

„Oh. Meinst du, das ist sie?", Davis wirkte besorgt.

Ich spürte mein Herz in meinem ganzen Körper klopfen. Das ekelerregende Gefühl im Rachen kam wieder hoch und ich musste mich erst einmal beruhigen, bevor ich auf den Bildschirm gucken konnte.

„Er ist wieder weg. Wir haben Schluss gemacht. Er scheint es gut weggesteckt zu haben. Wenn du willst, können wir uns morgen treffen und reden."

Ich verzog das Gesicht zu einer Grimasse. Ich wusste nicht, was ich fühlen sollte. Erleichterung? Freude? Ärger, weil sie so einfach darüber hinweg schauen wollte? Wut? Trauer, weil ich meinen besten Freund hintergangen war? Ich steckte das Handy weg.

„Sie haben sich getrennt."

„Na, das ist doch ein Fortschritt.", sie klopfte mir freundschaftlich auf die Schulter, „Und jetzt brauchst du dir auch kein schlechtes Gewissen mehr zu machen. Wir haben alle unsere kleinen Sünden. Ich stehe auf meine Schulfreundin, glaube ich. Bailey hatte was mit seinen Schülern. Martins und die Richardson hatten eine Affäre. Du bist mit Alice zusammen…das ist, denke ich, noch das Harmloseste davon."

Ich musste lachen. Ja, vielleicht. Vielleicht war dies meine kleine Sünde.